제2판

위생사 핵심정리

함 희 진 저

머리말

위생사 국가고시 응시를 준비하시는 수험생 여러분께 경의를 표합니다. 미래를 준비하는 자들에게는 언젠가는 기회가 주어진다는 신념으로 살아온 저자로서는 미래를 준비하는 수험생들을 응원하지 않을 수 없습니다. 또한, 끊임없이 노력하고 최선을 다하여 준비한다면 실패하더라도 후회는 없을 것이며 또한 그러한 자는 반드시 성공합니다. 「위생사 핵심정리」는 제가 위생사 시험에 응시할 때 정리한 것을 기초로 그동안 다년간의 '위생사 특강' 강의를 하면서 각 대학에서 학생들에게 강조했던 부분들을 추가함으로 집약 정리한 것입니다. 아마도 이 책이 여러분의 위생사 국가고시 최종 합격에 놀라운 열쇠를 제공하리라 확신합니다.

위생사 국가고시는 이제 배점과 문항이 변경되어 새롭게 틀을 갖추었습니다. 이에 걸맞게 수험생들이 공부하는데 도움이 되도록 위생사 필기 부분에서는 공중보건학, 환경위생학, 식품위생학, 위생곤충학, 위생 법령으로 정리하였고, 위생사 실기 부분에서는 환경위생학, 식품위생학, 위생곤충학으로 요약하였으며, 또한 매년 바뀌는 위생법령 가운데 대체적으로 바뀌지 않는 중요한 부분만을 엄선 정리한 '위생법령 관련 핵심 정리 도표'를 첨부하였고, 이어서 위생사 실기에서 늘 어렵게 느껴지고 빠뜨리기 쉬웠던 부분인 '위생곤충학 관련 그림들'을 첨부하여 공부하는데 도움을 드렸습니다.

「제2판 위생사 핵심정리」는 위생사 실기부분을 대폭 보완하였고, 위생사 필기부분과 실기부분 모두에서 구성을 다소 바꾸었습니다. 위생사 국가고시 응시생들에게 도움이 될 것은 확신합니다. 아무쪼록 「위생사 핵심정리」가 여러분의 최종 합격의 마중물 역할을 톡톡히 해 낼 것입니다. 건투를 빕니다.

저자 씀

차 례

위생사 필기

1. 공중보건학
2. 환경위생학
3. 식품위생학
4. 위생곤충학
5. 위생관련법령

1. 공중보건학

공중보건의 개념

1. hygiene이라는 용어를 최초로 사용한 사람은?

2. 공중보건 사업의 최소단위는?

3. 국민의 건강을 보살피는 것이 정치가의 첫 번째 임무라고 주장한 사람은?

4. 공중 보건의 발달순서는?

5. 세계최초 위생학 강좌 개설 국가는?

6. 보건수준이 가장 높을 때의 α-index 값은?

7. 세계최초 공중 보건 업이 제정된 시기는?

8. 비례사망자수는 인구의 연간 사망자수에 대한 무엇의 백분율인가?

9. 직업병에 대한 저서를 출간하고 산업보건의 기초를 마련한 사람은?

10. 알마아타(Alma-Ata) 선언에 대한 철학적 배경은?

11. 공중보건사업의 진도(달성도)를 파악하기 위한 지표 6가지는?

12. 공중보건에 대한 단독 법을 최초로 제정한 나라는?

13. 소련 알마아타 선언과 가장 관계 큰 것은?

14. 포괄 보건 의료의 영역 4가지는?

해설 총괄적 보건의료(comp rehensive health care)는 적극적 예방에서 재활에 이르는 수준을 전부 연계하여 다루는 것으로 현대 보건의료가 지향하는 방향이다.

15. 세계최초 공중보건법을 제정하는 동기를 제공한 사람은?

정답

1 Galeus
2 지역사회
3 Disraeli
4 고대기-중세기-여명기-확립기-발전기
5 독일
6 1.0에 가장 가까울 때
7 여명기
8 50세 이상 사망자수
9 Ramazzini
10 건강권
11 ① 영아사망율 ② 조사망율 ③ 질병이환율 ④ 유아사망율 ⑤ 모성사망율 ⑥ 평균수명
12 영국
13 1차 보건 의료의 실현
14 ① 예방 ② 치료 ③ 재활 ④ 건강 증진
15 E. Chadwick

보건 행정

1. 우리나라 서양 의학적 지식이 도입된 시기는?
2. 우리나라 보건행정기구가 방대했던 시기는?
3. 보건부+사회부가 보건사회부가 된 시기는?
4. 정부수립 후 중앙보건행정조직의 명칭 변경 순서는?
5. 보건행정과 일반행정의 차이점은?

6. 한국에 시범보건소가 생긴 시기는?

7. 우리나라는 세계보건기구에 언제 몇 번째로 가입했나?

8. 의료보험 급여 대상 4가지는?

해설 산재는 아님, 장제 : 장례를 위한 경비

9. 의료비 지불방법 중 서비스의 증가가 가능한 방법은?

10. 우리나라에 최초로 세워진 근대 보건행정 기구는?

11. 일제 총독부 시절의 보건행정 담당 부서는?

12. 의료법상 의료기관 8가지는?

해설 보건소는 의료법상 의료기관이 아님

13. 보건행정의 발전 단계 중 여명기에 속하는 단계는?

14. J.P. Frank의 위생행정이라는 저서가 저술되어 나온 시기는?

15. L. Pasteur와 R. Koch 등이 활약한 시대는?

16. 영국에 보건부가 설치된 시기는?

17. 조선시대 의과고시를 담당했던 기구는?

18. 보건소 활동을 최초로 실시한 국가는?

19. 보건소에서 진료비 및 기타 수수료는 무엇으로 결정하는가?

20. 의료기관을 개설코자 할 때 누구의 허가를 받아야 하는가?

21. 사회보장제도 창시자는?

22. 사회 보장에 대한 단독법이 최초로 제정 공포된 나라와 시기는?

23. 공적 부조의 소요자금은?

24. 제1종 의료보험 수첩과 제2종 의료보험 수첩의 구별 방법은?

해설 ① 제1종 대상자(황색 카드) : 거택보호자, 시설수용자, 인간문화재, 국가보훈대상자, 월남귀순용사, 이재민, 성병감염자는 외래진료 및 입원 모두 전액 의료보호기금에서 부담함 ② 제2종 대상자(녹색 카드) : 생활보호법에 의한 자활보호대상자 →외래진료는 전액 의료보호기금에서 부담함

25. 행정에 있어 3S에 해당되는 조합은?

26. 일정 직위의 공무원을 유능한 사람으로 모집 보충하는 인사관리제도는?

27. 보건행정계획에 있어서 계획 사업 예산 체계를 나타내는 것은?

28. 일반적인 관리순서는?

29. 조직의 원칙 7가지는?

해설 통합의원칙은 조직의원칙이 아님

30. 서울특별시내 보건소장의 임명권자는?

해설 법령 개정됨 ← 원래는 서울특별시장이었음

31. WHO가 속해 있는 기구는?

32. 우리나라 보건소 소속 공무원은 행정체계상 어느 부처에 속해 있나?

33. WHO의 지역 사무소 수는?

34. 우리나라가 속해 있는 WHO 지역 사무소와 설치된 도시는?

35. 의사협회나 간호사 협회 등 의료 관계자 단체는?

36. 각도의 보건행정 주무국은?

37. WHO의 지역사무소와 그 소재지를 쓰면?

38. 산업혁명으로 대중의 보건문제에 대한 새로운 인식이 시작된 시기는?

해설 (세계최초 공중보건법 제정), (위생 행정이라는 저서발간) 연결 기억

39. 우리나라 보건행정 조직의 단점은?

정답

1 고종시대
2 미군정시대
3 1955년
4 사회부-보건부-보건사회부-보건복지부-보건복지부
5 보건행정은 기술행정이다
6 미군정시대
7 1949년, 65번째
8 ① 질병 ② 분만 ③ 장제 ④사망
9 점수제
10 위생국
11 경찰국 위생과
12 ① 종합병원 ② 병원 ③ 치과병원 ④ 의원 ⑤ 한방병원 ⑥ 조산소 ⑦ 치과의원 ⑧ 한의원
13 요람기
14 여명기
15 확립기
16 발전기
17 전의감
18 영국
19 지방자치단체의 조례로 결정
20 도지사
21 독일의 Bismark
22 미국, 1935년
23 일반재정수입(조세)
24 제1종은 황색, 제2종은 녹색
25 표준화(Standardization), 전문화(Specialization), 단순화(Simplification)
26 실적주의

27 PPBS(Planing, Programming, Budgeting, System)

28 기획(Planning)-조직(Organization)-실행(Actuating)-관리(Controlling)

29 ① 조정의원칙 ② 목적의원칙 ③ 일치의원칙 ④ 분업의원칙
⑤ 명령통일의원칙 ⑥ 계층제의원칙 ⑦ 통솔범위의원칙

30 구청장

31 국제연합 경제사회이사회

32 행정자치부

33 6개

34 서태평양지역, 마닐라

35 법정단체

36 보건사회국

37 · 동지중해지역(알렉산드리아)
· 동남아시아 (뉴델리)
· 남북아메리카 (워싱턴)
· 유럽지역(코펜하겐)
· 서태평양지역(마닐라)
· 아프리카(브라자빌)

38 여명기

39 다원화되어 있다는 점

역학

1. 2단계 역학이란?

2. 수리적으로 분석하여 수리화한 역학은?

해설 분석역학이나 기술역학이 아님에 주의

3. 역학적 분석으로서 전향적 조사란?

4. 발생률과 유병률이 거의 같은 경우는?

5. 급성감염병의 역학적 특성은?

6. 만성감염병의 역학적 특성은?

7. 감염병의 유행기간이 짧을 때의 역학적 특성은?

8. 3~4년 주기로 유행이 반복된다면 무슨 변화인가?

9. 가설이 옳은지 그른지를 판정하는 역학은?

10. 전향적 조사의 장점은?

11. 상대위험도의 산출방법은?

12. 귀속위험도의 산출방법은?

13. 급성 감염병 발생할 때 먼저 알아야 하는 것은?

해설 감염병 생성 6개 요소에서는 병원 소, 병원체, 병원체 전파, 신숙주의 감수성과 면역, 신숙주 침입, 병원소로부터 병원체의 탈출이 있다. 순서는 병원체→병원 소→병원 소로부터 탈출→전파→신숙주에의 침입→신숙주의 감수성 및 면역 순이다.

14. 세계적으로 가장 많이 발생하는 성병은?

15. 우리나라는 9월에 일본뇌염이 많이 유행한다. 그 이유는?

16. 태국에서 콜레라가 발생하여 다른 지역으로 넓게 퍼졌다. 무슨 유행인가?

17. 흡연자에게 가장 높은 발병률 보이는 질병은?

해설 폐결핵이 아님에 주의

18. 사망률이 가장 낮은 연령은?

19. 2차 발병률을 산출하는데 분모가 되는 것은?

정답

1 분석역학
2 이론역학
3 질병 발생 전에 건강자를 대상으로 조사한다.
4 질병의 이환기간이 짧을 때
5 발생률이 높고 유병률은 낮다.
6 발생률은 낮고 유병률은 높다.
7 발생률과 유병률이 거의 같다.
8 단기변화(순환변화)
9 분석역학
10 위험도의 산출이 가능하다.
11 폭로군의 발병률 ÷ 비폭로군의 발병률
12 폭로군의 발병률 - 비폭로군의 발병률
13 전파양식
14 임질
15 모기의 소장과 잠복기
16 범발성 유행
17 폐암
18 5~14세
19 발병위험에 폭로된 비 면역자수

감염병 관리

1. 보균자의 종류는?

1) 질병의 시기 전후에 따라 잠복기보균자, 회복기보균자, 건강 보균자가 있다.

▸ 잠복기(병균) 보균자가 병원소 역할을 하는 것은?

해설 장티푸스, 이질, 디프테리아는 회복기(병후) 보균자가 많다. 가장 관리하기가 어려운 대상은 건강보균자(일본뇌염, 디프테리아, 폴리오)임

2) 존속 기간에 따라서는 영구적보균자(만성보균자), 일시적보균자가 있다.

해설 (만성)보균자는 건강 보균자와 같으나 엄밀한 의미에서는 '평생 동안 영구적으로 보균자'라는 의미이므로 다름. 이에는 장티푸스, 콜레라, B형 간염 등이 있음

2. 활성 전파체에 의한 감염병의 연결은?

3. 병원소로부터 병원체의 탈출 경로 4가지는?

해설 순환기계는 병원체의 탈출 경로가 아님

4. 병원체의 인체 침입로 4가지는?

해설 신경계는 병원체 침입로가 아님

5. 공기로 전염되는 점염병은?

해설 폴리오, 파상열은 소화기임에 주의, 페스트, 발진티푸스, 일본뇌염은 점막 피부임에 주의

6. 홍역의 접촉지수?

7. 감수성지수(감염지수, 접촉지수) 큰 것부터 나열하면?

8. 잠복기는 감염병 관리상 어떤 목적에 이용하나?

9. 잠복기가 가장 짧은 감염병은?

10. 감염병 발생에 관여하는 6가지 요소와 그 순서는?

11. 질병전파 중 직접 전파는?

12. 이환 후 면역이 가장 약한 질병은?

13. 현성 감염보다 불현성 감염이 더 많은 것은?

해설 장티푸스 관리에서 가장 주안점 둘 사항은 만성 보균자 색출임, 제1군 감염병은

예방시설에 전원 격리 수용, 제2군 감염병은 자가에서 격리 치료

14. 병후 면역이 인정되지 않는 것(감염면역만 형성되는 것)은?

15. 홍역 경과 중 전염성이 가장 큰 시기는?

16. 환자와 보균자를 구분할 수 있는 차이점은?

17. 인공 능동면역과 인공피동 면역의 차이점은?

18. 예방 접종이 감염병 관리상 갖는 의미는?

19. 생균 백신 이용 감염병은?

20. 생균 백신, 사균 백신, 순화 독소 등을 사용하여 얻어지는 면역은?

해설 면역의 종류

선천적 면역과 후천적 면역으로 나뉘는데, 이 중 후천적 면역은 다음과 같다.

1. 능동면역 : 병원체 자체 또는 이로부터 분비되는 독소에 의하여 체내의 조직세포에서 항체가 만들어지는 면역

① 자연능동면역 : 감염병에 감염되어 생기는 면역으로, 실제로 임상증상을 나타내며 앓는 경우는 물론이고 불현성 감염 때에도 생긴다. 면역이 비교적 영구적으로 지속되나 그 기간은 질병에 따라 다르다.

② 인공능동면역 : 인공적으로 항원을 투여해서 면역체를 얻는 방법으로 비교적 영구히 지속된다. 항원으로 백신과 톡소이드가 있다. 예)예방주사

- 생균백신 : 병원미생물의 독력을 약하게 만든 생균의 현탁액 예) 홍역, 결핵(BCG), 풍진, 볼거리(유행성 이하선염), 탄저병, 광견병, 황열, 독감

- 사균백신 : 병원미생물을 물리적, 화학적 방법으로 죽인 것 예) 장티푸스, 콜레라, 주사용 소아마비(Salk), 백일해, 인플루엔자(독감), 일본뇌염, 파라티푸스, B형간염

- 톡소이드 : 유독소, 세균의 체외독소를 변질시켜 약하게 만든 것 예) 파상풍, 디프테리아

2. 피동면역(수동면역) : 다른 사람이나 동물에 의하여 이미 형성된 면역원을 체내에 주입하는 것으로, 능동면역에 비해 효력이 빨리 나타나서 빨리 사라진다.

① 자연피동면역 : 태아가 모체의 태반을 통해 항체를 받거나, 생후에 모유에서 항체를 받는 방법, 이는 생후 차차 없어지며, 평균 4~6개월 지속된다.

② 인공피동면역 : 회복기혈청, 면역혈청, 감마 글로불린, 항독소(antitoxin) 등의 항체를 사람 또는 동물에게서 얻어 주사하는 것이다. 이는 예방목적 외에 치료목적으로 이용되며 접종 즉시 효력이 생기는 반면에 비교적 저항력이 약하고 효력의 지속시간이 짧다.

⇒ 생균백신 예방접종 금기 증 : 임신 중, 백혈병, 증식성 암, 결핵환자, 질병으로 앓고 있을 때. 생균 예방 접종 후 한 달이 경과되지 않았을 때, 급성열성질환 환자, 면역억제치료자, 알러지 반응 백신의 재접종

⇒ 예방접종약 관리 확인사항 : 유효기간, 저장온도(냉장실 보관), 직사광선 차단상태, 접종 시 약병을 흔들어 용액의 농도를 고르게 한 후 사용

21. 순화 독소 이용 감염병은?

22. 자연 능동 면역이 가장 강력하게 형성되는 질병은?

23. 제1군 감염병은?

해설 페스트는 1군에서 4군으로 변경되었음

24. 제2군 감염병은?

25. 제3군 감염병은?

26. 임신초기에 이환되면 태아에게 영향을 주는 질병은?

27. 생후 최초 실시 예방접종 질병은?

28. 폐결핵의 집단 검진 순서는?

29. BCG(Bacillus Calmette Guerin) 접종 후 면역 획득 여부를 확인하는 투베르쿨린 반응 검사는 언제 실시하는가?

30. 검역법에 규정된 검역 감염병은?

31. 잠복기보균자가 될 수 없는 감염병은(현성 감염보다 불현성 감염이 더 많은 것은)?

32. 불현성 감염 : 현성 감염의 비율이 약 1 : 100 정도 되는 질병은?

33. 병원체가 숙주로부터 배출되기 시작하여 배출이 끝날 때까지의 기간은?

34. 호흡기계 질환의 이상적인 관리 방법은?

35. 소화기계 질환의 이상적인 관리 방법은?

36. 성병 질환의 이상적인 관리 방법은?

해설 감염병 관리의 3대 원칙 중 감수성 숙주 대책은 면역 증강(영양관리, 예방접종)

37. 잠복기란?

38. 코, 인후 등의 상피조직에 염증을 일으켜 병후 회복기에서조차 병원체를 배출하는 감염병은?

39. 감염 후 자연 능동면역이 가장 장기간 형성되는 질병은?

40. 모체로부터 출생 시 받게 되는 면역은?

41. 모유 영향 아래 있는 유아가 받을 수 있는 가장 대표적인 면역 형태와 해당되는 감염병 형태는?

42. 인공능동 면역으로 사균 백신을 이용하는 것은?

해설 소, 양 등은 걸리면 유산하는 사람과의 인축공통전염병 : 파상열

정답

1 홍역, 백일해, 디프테리아, 유행성 이하선염, 수막구균성 수막염, 성홍열

2 증식형(황열, 페스트, 뎅귀열), 발육형(사상충증, 로아로아), 발육증식(말라리아, 수면병), 배설형(발진티푸스, 발진열), 경란형(록키산 홍반열, 진드기 매개 재귀열)

3 ① 비뇨기계 ② 호흡기계 ③ 소화기계 ④ 피부 점막

4 ① 경구적 침입 ② 경피 침입 ③ 기계적 침입 ④ 호흡기계 침입

5 디프테리아, 성홍열, 유행성 이하선염, 나병, 두창, 풍진, 수막구균성 수막염, 백일해, 폐렴, 결핵, 감기, 홍역, 독감

6 95%

7 두창, 홍역(95%)>백일해(60~80%)>성홍열(40%)>디프테리아(10%)> 소아마비

(0.1%)

8 건강격리기간 결정

9 콜레라(12~14시간)

10 ① 병원체 → ② 병원소 → ③ 병원소로부터 탈출 → ④ 전파 → ⑤ 신숙주에의 침입 → ⑥ 신숙주의 감수성 및 면역

11 비말에 의한 전파

12 이질

13 일본뇌염

14 매독, 임질, 말라리아

15 잠복기

16 자각 및 타각증상의 유무

17 인공능동면역은 면역성이 긴데 비해 인공피동면역은 면역성이 짧다.

18 감수성 숙주의 관리

19 홍역, 결핵, 공수병, 황열, 폴리오, 탄저

20 인공능동면역

21 파상풍, 디프테리아

22 두창, 홍역

23 콜레라, 장티푸스, 파라티푸스, 세균성이질, 장출혈성대장균감염증, A형간염

24 디프테리아, 백일해, 파상풍, 홍역, 유행성이하선염(볼거리), 풍진, 폴리오, B형간염, 일본뇌염, 수두

25 말라리아, 결핵, 한센병, 성홍열, 수막구균성수막염, 레지오넬라증, 비브리오패혈증, 발진티푸스, 발진열, 쓰쓰가무시병, 렙토스피라증, 브루셀라증, 탄저, 공수병(광견병), 신증후군출혈열, 인플루엔자, AIDS, 매독, CJD

26 풍진

27 B형간염

28 간접촬영-직접촬영-배양검사

29 6개월 후

30 콜레라, 페스트, 황열

31 일본뇌염

32 홍역
33 전염기간
34 예방접종 실시
35 환경위생 철저
36 접촉자 색출
37 병원체가 인체침입 후 임상적으로 자각 및 타각 증상이 발현되기까지의 기간
38 디프테리아
39 수두
40 자연 수동 면역
41 자연 수동 면역 - 수두
42 백일해

인구 문제

1. 신 맬더스주의를 주장한 사람은?
2. 인구의 정태통계에 해당되는 것은?
3. 인구의 동태통계란?
4. 국세 조사를 최초로 실시한 국가는?
5. 근대적 의미의 국세 조사를 최초로 실시한 국가는?
6. 우리나라 최초로 국세 조사 실시시기는?
7. 국세 조사는 몇 년 간격으로 실시하는가?
8. 간이 국세 조사는 몇 년 간격으로 실시하는가?

   해설 우리나라 인구조사는 5년마다 11월 1일을 기준으로 전국적으로 실시하는 국세조사에 의한 인구정태조사에 의해 이루어진다.

9. C.P. Blacker는 인구성장을 몇 단계로 나누었는가?

10. 고 출생률과 고 사망률인 인구 정지형 국가는 C.P. Blacker의 인구성장단계 중 몇 단계인가?

11. 1차 성비란?

12. 2차 성비는?

13. 3차 성비는?

14. 인구의 자연증가율이란?

15. 한명의 여자가 일생동안 낳을 수 있는 여아의 총수는?

16. 생명표의 기초함수 6가지는?

해설 평균수명, 치명률, 출생률은 생명표의 기초함수가 아님, 사력 : 가족들의 사망 이력

17. 우리나라에서 국가시책으로 가족계획사업을 시행하게 된 해는?

해설 1962년 추진, 1963년 시행(거국적으로 추진, 전국적으로 실시)

18. 경구피임약의 원리는?

19. 자궁내장치법(IUD)의 피임 원리는?

20. 수정란의 착상을 막는 방법은?

21. 가족계획사업의 효과 판정상 가장 좋은 지표는?

22. 인구구조는?

23. 전 세계 인구 중 아시아 인구의 비율은?

24. 농촌지역의 전형적인 인구구조는?

25. 대도시지역의 전형적인 인구구조는?

26. 인구의 전형적인 증가형은?

27. 맬더스(Malthus)의 인구론에서 인구규제 방법은?

28. 신 맬더스주의(Neo-Malthusism)에서 인구의 규제 방법은?

29. 인구의 동태지수란(vital index)?

30. 근대적 의미의 국세조사를 실시한 최초연도와 국세조사의 명칭은?

31. 국세조사를 제일 먼저 실시한 나라는?

32. 인구의 과다 증가 시 발생되는 보건학적 문제점 4가지는?

해설 비생산 층 인구의 증가는 위의 4문항에 비해 관계가 적다고 할 수 있다.

33. 출생률이 사망률보다 낮아진다면 C. P. Blacker의 분류 중 몇 단계인가?

정답

1 Francis Place
2 국세조사
3 어느 기간에 있어서 출생, 사망, 전입, 전출 등에 의해 끊임없이 변동되는 것
4 스웨덴
5 미국
6 1925년
7 10년
8 5년마다 11월 1일
9 5단계
10 1단계
11 태아 성비
12 출생시 성비
13 현재 인구의 성비
14 전출, 전입이 없다는 가정 하에서 조 출생률에서 조사망률을 뺀 값
15 총재생산율
16 ① 생존 수 ② 사망 수 ③ 생존율 ④ 사망률 ⑤ 사력 ⑥ 평균 여명
17 1963년
18 배란의 억제

19 자궁착상 방지

20 Loop 사용법

21 조출생률

22 (정태)통계에 속함

23 50~59%

24 기타형(Guitar)

25 별형

26 피라밋형

27 만혼, 성 순결, 성욕의 도덕적 억제

28 피임

29 (출생자 수÷사망자 수)×100

30 1925년 간이 국세조사

31 스웨덴

32 ① 환경위생의 악화 ② 인구의 질적 역 도태 ③ 열악한 소질자의 증가 ④ 의료 시설의 부족

33 5단계

보건 교육

1. 보건 교육의 개념은?

2. 보건교육은 알고 있는 것을 바람직한 행동으로 옮기는 것이라고 주장한 사람은?

3. 새로운 지식으로 받아들이는 단계에서 최초의 단계는?

4. 보건교육 준비에서 꼭 고려해야 될 사항은?

5. 몇 사람의 전문가가 청중 앞 단상에서 자유롭게 토론하는 형식으로 사회자가 이야기를 진행 정리해 나가는 보건교육 방법은?

6. 집단 토의시키고 이를 전체회의에서 종합하는 보건교육 방법은?

7. 보건교육 방법 중 가장 효과적인 방법은?

8. 보건교육은 어떤 교육인가?

9. 보건교육 방법 중 가장 효과적이고 중요한 것은?

10. 보건교육 대상자 중 교육 효과가 가장 크다고 생각되는 집단은?

정답

1 보건지식 전달로 태도 변화를 촉구하고 이를 실천에 옮길 수 있게 하는 것
2 R. Grout
3 인지(awareness)
4 대상의 결정, 교육내용의 결정, 방법의 선택, 추진 및 추진 후의 평가
5 패널 디스커션
6 버즈 세션
7 실연(demonstration)
8 대중교육
9 학교보건교육
10 초등학생

학교 보건

1. 초등학교 학생의 기생충 검사 횟수는 (①)이고 정기건강검진은 (②)이다.

2. 학교보건법에 있는 학생의 신체검사 7가지는?

3. 감염병에 감염된 교직원에 대해 등교를 중지시킬 수 있는 자는?

4. 학교 환경 중 보건학적 고려사항들은?

복도의 폭 (①)m 이상, 계단은 경사가 (②) 이하, 남자 100명 당 대변기 (③)개, 소변기 (④)개, 작업실, 실험실, 조리실의 환기 횟수는 1시간당 (⑤)회 이상, 환기량은 CO_2 (⑥)% 이하, 교실온도는 하계 (⑦)℃ 유지, 동계 (⑧)℃ 이상

5. 학교보건 사업 중 최우선적으로 고려해야 될 사항은?
6. 초등학교 보건교육에서 가장 중요한 역할을 담당하는 사람은?
7. 학교교실 야간학습에 적당한 조도는?
8. 학교의 신체검사 규정상 검사내용은 학생의 (①) 검사, 교직원의 (②) 검사가 포함된다.

   해설 교직원의 체력 검사는 아님

9. 학교 환경 정화구역 중 절대구역은 학교 정문으로부터 몇 m 떨어져 있어야 하나?
10. 학교의 우물물은 변소, 하수, 오수지로부터 몇 m 이상 떨어진 지대가 좋은가?

정답

1 ① 연 2회 ② 연 1회

2 ① 체능검사 ② 체질검사 ③ 체격검사 ④ 결핵검사 ⑤ 영양평가 ⑥ 치아이상검사 ⑦ 기생충검사

3 학교장

4 ① 2 ② 40 ③ 2 ④ 4 ⑤ 3 ⑥ 0.1 ⑦ 16~17 ⑧ 10

5 학교환경위생 개선

6 담임교사

7 300~600Lux

8 ① 체격, 체질, 체력 ② 체격, 체질

9 50m

10 20m 이상 떨어진 지형 상 오염원 위쪽

보건 통계

1. 백분율로 표시되는 보건 통계치는?
2. 비례사망지수가 매우 높으면 그 나라 보건 수준은?
3. 보건 통계에서 0세 인구란?
4. 보건 통계에서 1세 인구란?
5. 생정 통계에서 5~9세 인구란?
6. 사망 성비의 계산식은?
7. 출생 · 사망비(동태지수)의 계산식은?

   해설 지역사회나 국가의 보건수준을 나타내는 가장 중요한 지표는 영아 사망률임

8. 영아사망률 및 모성사망률의 분모가 되는 것은?
9. 1990년 결핵 유병률의 분자가 되는 것은?
10. 보건통계에서 α-index란?
11. 어느 가족의 2차 발병률 계산에서 이론적인 분모는?

    해설 연속 자료란 자료의 임의의 두 값 사이에 다른 값이 존재할 수 있는 자료 (예 : 신장, 체중)

12. 통계 자료 중 연속적인 자료의 예를 든다면?
13. 대표값 4가지는?

    해설 표준편차는 대표값이 아님

14. 산술평균 둘레에 분포하는 분포상태를 표시하는 산포성은 무슨 값?

15. 산술평균의 표준오차란?

16. 표준정규분포의 표준편차는?

17. 표준정규분포의 산술평균은?

18. 신뢰구간이란?

19. 출생 시 여아 100명에 대한 남아 성비의 정상적인 범위는?

20. 두 변수 사이의 상관이 전혀 없을 때의 표시 방법은?

21. 순재생산률 1.0이란?

22. 모성사망률의 산출에 사용되는 분모는?

23. 생정 통계에서 0세 인구란?

24. 연앙인구란?

해설 연앙인구 : 1년 중 중앙시기에 해당하는 인구

25. 인년이란(person-year)?

26. 출생률 대 인구 기본수는?

27. 가족계획사업의 효과 판정상 가장 좋은 지표는?

28. 영유아 영양판정은?

① 카우프　② 비만　③ 체질량지수(BMI)　④ 브로카법　⑤ 뢰러지수

해설 뢰러지수는 학동기 영양판정이구 카우프는 영유아 영양판정
kaup지수=영유아비만도측정
brocar지수=자신의 신장을 적용하여 표준체중을 구하고 실제체중과 비교하여 비만도측정하는 방법

29. 질병 예방활동에서 2차적 예방은?

① 예방접종　② 환경개선
③ 조기진단(발견)과 조기치료　④ 질병의 악화방지

⑤ 잔여기능의 최대화 활동

해설 1차적 예방 : 질병발생 억제 단계(환경위생, 건강증진, 특수예방, 예방접종), 2차적 예방 : 조기발견과 조기치료 단계, 3차적 예방 : 재활 및 사회복귀단계

30. 다음 중 만성 퇴행성 질환이 아닌 것은?

① 파킨슨병 ② 비만 ③ 당뇨병 ④ 고혈압 ⑤ 매독

해설 퇴행성질환의 종류에는 비만, 저혈당, 당뇨병, 고혈압, 고 콜레스테롤, 심부전, 뇌출혈, 심장마비, 협심증, 정맥류, 각종 암, 신장염, 신부전, 간염, 지방간, 간경화, 부신장애, 갑상선기능장애, 용종, 골다공증, 전립선염, 아토피 피부염, 관절염 등이 있다. 파킨슨병이란 신경계 만성 퇴행성 질환이다. 파킨슨병은 점진적으로 서서히 나타나기 때문에 환자가 언제부터 증상을 느꼈는지 정확히 알 수 없는 경우가 대부분이다. 그리고 환자보다는 다른 사람에 의해서 증상이 발견되는 경우도 자주 있다. 파킨슨병이 진행되면 글쓰기에 진전이 뒤섞이면서 점차 글의 크기가 감소되는 증세가 나타난다.

31. 조선시대 전염병 환자 구호기관은?

① 활인서 ② 혜민서 ③ 전의감 ④ 내의원 ⑤ 전형사

해설 동서활인서는 조선시대 전염병 환자를 치료하던 서민 치료기관이었음

32. 조선시대 일반 의료행정을 담당하던 기관은?

① 전형사 ② 전의감 ③ 내의원 ④ 활인서 ⑤ 혜민서

해설 조선시대의 보건행정은 전의감에서 관장하였고, 왕실의 의료는 내의원에서 전담하였으며, 일반 서민대중의 진료와 구료는 혜민서에서 관장하였고, 전염병 환자의 격리 수용 치료는 세종 때 동서대비원을 개칭한 활인서에서 담당하였다.

정답

1 치명률

2 매우 높다.

3 12개월 미만의 영아 수

4 13개월 이상~만 24개월 미만 인구

5 만 5세부터 만 10세 미만의 인구

6 (남자 사망 수/여자 사망 수)×100
7 (연간 출생 수/연간 사망 수)×100
8 연간출생아수
9 1990년도에 현존하는 결핵환자 총수
10 영아 사망 수, 신생아 사망 수
11 초발환자와 면역자를 제외한 전 가족
12 개인 체중을 측정했을 때 60.0kg 등의 측정값
13 ① 기하 평균치 ② 산술 평균치 ③ 중앙치 ④ 최빈치
14 분산
15 산술평균의 표준분포의 표준편차
16 1
17 0
18 구간의 폭이 작고 신뢰도가 높아야 한다.
19 104~108
20 r=0
21 1세대와 2세대의 여자수가 같다.
22 연간 출생아수
23 출생 후 1년 미만의 영아 수
24 7월 1일 인구
25 연구대상자 수를 연구 기간(년 수)로 표시한 것
26 1000
27 조출생률(crude live-birth rate)
28 ①
29 ③
30 ⑤
31 ①
32 ②

선별 문제

01. 다음 중 만성 퇴행성 질환이 아닌 것은?

① 파킨슨병　② 비만　③ 당뇨병
④ 고혈압　⑤ 매독

해설 퇴행성질환의 종류에는 비만, 저혈당, 당뇨병, 고혈압, 고 콜레스테롤, 심부전, 뇌출혈, 심장마비, 협심증, 정맥류, 각종 암, 신장염, 신부전, 간염, 지방간, 간경화, 부신장애, 갑상선기능장애, 용종, 골다공증, 전립선염, 아토피 피부염, 관절염 등이 있다. 파킨슨병이란 신경계 만성 퇴행성 질환이다. 파킨슨병은 점진적으로 서서히 나타나기 때문에 환자가 언제부터 증상을 느꼈는지 정확히 알 수 없는 경우가 대부분이다. 그리고 환자보다는 다른 사람에 의해서 증상이 발견되는 경우도 자주 있다. 파킨슨병이 진행되면 글쓰기에 진전이 뒤섞이면서 점차 글의 크기가 감소되는 증세가 나타난다.

02. 역학조사에서 1단계 역학?

① 기술역학　② 분석역학　③ 이론역학
④ 실험역학　⑤ 작전역학

해설 1단계 역학은 기술역학이고, 2단계 역학은 분석역학, 3단계 역학은 이론역학이다.

03. 만성 전염병의 역학적 특성?

① 발생률은 높고 유병률은 낮다.　② 발병률은 높고 유병률은 낮다.
③ 발생률은 낮고 유병률은 높다.　④ 발병률은 낮고 유병률은 높다.
⑤ 발병률은 낮고 유병률은 낮다.

04. 검역 전염병은?

① 콜레라, 페스트, 두창　② 콜레라, 페스트, 황열
③ 콜레라, 에이즈, 두창　④ 콜레라, 에이즈, 황열
⑤ 콜레라, 에이즈, 황열

05. 다음 인간 병원 소 중 관리가 어려운 대상은?

① 만성 전염병 환자　② 건강(만성)보균자　③ 회복기 보균자

④ 급성 전염병 환자 ⑤ 회복기 환자

06. 발생률과 유병률이 거의 같은 경우?

① 질병의 이환기간이 길 때 ② 질병의 이환 기간이 짧을 때
③ 질병의 잠복기간이 길 때 ④ 질병의 잠복 기간이 짧을 때
⑤ 질병의 치료기간이 길 때

07. 질병이 10년을 주기로 대유행이 반복?

① 추세 변화 ② 순환 변화 ③ 계절적 변화
④ 불규칙 변화 ⑤ 주기적 변화

해설 10년 이상 주기이면 추세 변화(장기 변화) 이고, 10년 미만이면 순환 변화(주기적 변화)이다. 계절적 변화는 1년 주기로 변하는 것이고, 불규칙 변화는 외래 전염병이 국내 침입하는 경우이다.

08. 백분율로 표시되는 것은?

① 사망률 ② 출산율 ③ 치명률
④ 유병률 ⑤ 출생률

해설 사망률, 출산율, 유병률, 출생률은 각각 천분율이고, 치명률은 백분율이다.

09. 신생아란?

① 생후 1주일까지의 아이 ② 생후 1개월까지의 아이
③ 생후 1년까지의 아이 ④ 생후 6년까지의 아이
⑤ 생후 24시간까지의 아이

해설 생후 1주일까지의 아이가 '초생아'이고, 생후 1개월까지의 아이가 '신생아'이며, 생후 1년까지의 아이가 '영아'이며, 생후 6년까지의 아이가 '유아'이다.

10. 지역사회 보건 수준을 평가하기 위한 가장 대표적인 지표는?

① 평균수명 ② 조사망률 ③ 영아사망률
④ 치명률 ⑤ 유병률

해설 한 국가나 지역사회의 건강수준을 평가할 수 있는 대표적인 지표가 '영아사망률'이다.

11. 전향적 조사의 경우, 상대위험도의 산출방법은?

① 폭로군 발병률÷비폭로군 발병률 ② 비폭로군 발병률÷폭로군 발병률
③ 폭로군 발병률-비폭로군 발병률 ④ 비폭로군 발병률-폭로군 발병률
⑤ 비폭로군 발병률+폭로군 발병률

12. 감염 지수가 큰 것부터 차례로 나열된 것은?

① 천연두-홍역-백일해-소아마비-디프테리아
② 홍역-백일해-성홍열-디프테리아-소아마비
③ 소아마비-디프테리아-성홍열-백일해-홍역
④ 소아마비-디프테리아-성홍열-천연두-백일해
⑤ 디프테리아-두창-백일해-성홍열-소아마비

해설 감수성 지수(=접촉성 지수)는 홍역(95%), 두창(95%), 백일해(60-80%), 성홍열(40%), 디프테리아(10%), 소아마비(0.1%) 순이다.

13. 현성 감염보다 불현 성 감염이 많은 것은?

① 말라리아 ② 일본뇌염 ③ 장티푸스
④ 에이즈 ⑤ 매독

14. 순재생산율이 1.0이라면 뜻은?

① 1세대와 2세대 간의 여자수가 같다.
② 1세대의 여자수가 1년 동안 출생한 출생수이다.
③ 인구의 자연 증가율이 1.0%이다.
④ 1세대와 2세대 간의 남녀의 수가 같다.
⑤ 1세대의 남녀의 수가 1년 동안 출생한 출생수이다.

15. 0세 인구가 뜻하는 것은?

① 신생아 수 ② 영아 수 ③ 초생아 수
④ 유아 수 ⑤ 아이 수

해설 0세인구란 생후 1년까지의 아이인 '영아'의 인구를 뜻한다.

16. 다음 중 인구의 자연증가율이란?

① 연초 인구와 연말 인구의 차이로 계산한다.

② 전출 · 전입이 없다는 가정 하에서 조출생률에서 조사망률을 뺀 값이다.

③ 연초 인구와 연말 인구의 합으로 계산한다.

④ 전출 · 전입이 있다는 가정 하에서 조출생률에서 조사망률을 뺀 값이다.

⑤ 조출생률에서 조사망률을 더한 값이다.

정답

1	2	3	4	5
⑤	①	③	②	②
6	7	8	9	10
②	①	③	②	③
11	12	13	14	15
①	②	②	①	②
16				
②				

2. 환경위생학

대기 환경

1. 대기 표준상태에서 질소의 체적 백분율은?

2. 정상공기의 중량 백분율로 질소의 양은?

3. 정상공기의 중량 백분율로 산소의 양은?

4. 정상공기의 용량 백분율로 산소와 이산화탄소의 양은?

5. 흡기 중 산소와 이산화탄소의 양은?

6. 성인의 하루 필요공기량은?

7. 성인하루 소비산소량은?

8. 성인 한 사람이 한 시간에 배출하는 이산화탄소량은?

9. 군집 독과 관계있는 것 4가지는?

해설 군집 독과 기압과는 상관없다.

10. 실내오염의 주요한 원인은?

11. 실내의 이산화탄소 상한량은?

12. 공기보다 가벼우며 물체가 불완전 연소할 때 발생하는 기체는?

해설 일산화탄소는 연탄가스 중독의 대표적인 물질이다. 공기 중의 비중은 0.976으로 공기보다는 가벼운 기체로서 물체가 불완전 연소할 때 많이 발생한다.

13. 연탄에서 발생되는 일산화탄소(CO)는 혈색소와 친화력이 산소보다 약 몇 배 높은가?

해설 일산화질소(NO) 혈색소와 친화력이 일산화탄소보다 수백 배 높다.

14. 일산화탄소 중독이 일어날 수 있는 농도는?

15. 일산화탄소 – 헤모글로빈이 몇 % 정도 있으면 증상이 나타나는가?

16. CO 중독시 안정상태에서 임상 증상이 나타나는 혈중 Hb-CO의 농도는?

17. 공중위생법상 일산화탄소의 실내 주차장 오염허용기준은?

해설 일산화탄소 실내 주차장 오염허용기준은 25ppm, 실내 기준은 10ppm임

18. 온열 환경에 있어서 가장 중요한 온열요소 4가지는?

19. 일반적으로 실외 기온이란?

20. 습구온도는 쾌적 상태에서 건구온도보다 ( )℃ 정도가 낮다.

21. Griffith Taylor가 기후도표에 나타낸 습냉 기후란?

22. 일교차란?

23. 침실의 적정온도는?

24. 거실의 쾌적온도는?

25. 실내의 적당한 지적온도와 습도는?

해설 실내외 온도차가 ±10℃ 이상일 때는 체온 조절력이 떨어져 면역력이 약해지면서 다른 질병에 노출되기 쉽다. 실내외의 가장 이상적인 온도차는 4~5℃ 정도, 30℃가 넘는 여름에는 실내 온도를 24~26℃로 맞추는 것이 적당한데, 이 온도는 집 먼지 진드기가 번식하기 쉬운 온도이므로 습도 조절에 더욱 주의한다.

26. 겨울철 최호적 감각온도는?

27. 20℃를 ℉로 환산하면 몇 ℉가 되나요?

해설 $F = (9/5) \times 20 + 32 = 68$°F

28. 실내기류를 측정하는 기구는?

해설 온도, 습도, 기류의 3인자가 종합하여 인체의 열을 빼앗는 냉각력을 측정하는 기구

29. 냉각력의 단위는?

30. 불쾌기후 구하는 공식은?

31. 불쾌지수는 온열요소 중 무엇을 고려한 것인가?

32. 견딜 수 없는 상태의 불쾌지수는?

33. 감각적으로 가장 쾌적하게 느끼는 온도는?

34. 복사열 측정에 이용되는 기구는?

해설 구부는 검게 칠한 동판으로 되어 있고 15~20분 후에 눈금을 읽는다.

35. 피부를 통해 방출되는 체열의 양은?

36. 빛의 종류별 파장의 길이를 비교 7가지는?

37. 도노선(Dorno-ray)의 파장은?

해설 스위스의 Dorno Arla가 발견한 광선

38. 살균선의 파장은?

해설 비타민 D를 형성시켜 구루병을 예방하는 것은 → 2800Å 이하

39. 3,000~4,000Å의 파장은?

40. 자외선에 대해 설명 4가지는?

해설 온열 작용은 적외선의 작용이지 자외선의 작용이 아님

41. 자외선의 유해 작용은?

정답

1 78%

2 76%

3 23%

4 21%, 0.03%

5 산소가 20.94%, 이산화탄소가 0.03%

6 13KL
7 600~700L
8 20L
9 ① 기온 ② 습도 ③ 기류 ④ 일산화탄소
10 군집독-일산화탄소-먼지
11 0.1%
12 CO
13 250배
14 0.05~0.1%
15 10~20%
16 20%
17 25ppm
18 ① 기온 ② 기습 ③ 기류 ④ 복사열
19 지상 1.5m에서의 건구온도
20 3℃
21 습구온도는 낮고 비교습도가 높다.
22 일출 30분 전의 온도와 14시 경의 온도와의 차이
23 15±1℃
24 18±2℃
25 ① 8±2℃ ② 40~70%
26 66°F
27 68°F
28 카타온도계
29 cal, ㎠, sec
30 (건구온도+습구온도)℃×0.72+40.6
31 기온, 기습
32 85
33 주관적 지적온도
34 흑구온도계

35 80~90%

36 ① 전파 > ② 적외선 > ③ 가시광선 > ④ 자외선 > ⑤ X선 >
⑥ gamma선 > ⑦ 우주선

37 2,900~3,150Å

38 2,400~2,800Å

39 O_3 생성, 산화력 강한 oxidant 발생하여 광화학 스모그 발생, 대기 오염 문제 야기

40 ① 100~3970Å 파장의 전자파를 총칭
② 살균선 또는 Dorno선이라고도 부름
③ 생체세포가 파괴, 단파장은 오존층에서 흡수
④ 식물 성장을 억제

41 각막염증

대기 오염 및 방지

1. (①)은 고도에 따라 기온이 점점 낮아지고 (②)은 고도에 따라 기온이 올라간다.

2. 오존층을 파괴하고 있는 원인물질과 진행고도는?

3. 오존층에서의 오존의 함량은?

4. 대기 중 오존의 최대허용농도는?

   해설 오존은 무색, 무미, 해초 냄새(마늘 냄새)의 기체

5. 오존에 의한 피해는?

6. 대기환경 기준항목 6가지는?

7. 대기오염의 일반적인 지표는?

8. 산화시 아황산가스로 대기 중에 방출되어 기관지염이나 천식을 일으키

는 성분은?

9. 대기 중에 가장 많이 존재하는 질소산화물 2가지는?

10. 광화학 스모그는 자동차 등으로부터 대기 중에 배출되는 탄화수소와 ( )이 태양광선을 받아 반응한 결과로 생긴다.

11. 광화학적 반응에 의해 생성되는 2차 오염물질 6가지는?

해설 유황 산화물(SO_2)은 광화학적 반응에 의해 생성되는 물질이 아님

12, 광화학적 반응에 의해 생성되는 1차 오염물질 3가지는?

해설 HC는 1차 오염물질이고 CH는 2차 오염물질임에 주의

13. 오존에 대한 서울 하루 시각별 오염을 고려할 때 가장 높은 농도 시간은?

해설 이산화망간은 입자상 물질임

14. 먼지(dust)는?

15. 매연(smoke)은?

16. 대기오염물질 중 액체 입자로 된 것은?

17. 고체 입자가 서로 응집한 것은?

18. 고체입자상 물질로 크기가 1㎛ 이하(0.03~0.3㎛)인 물질은?

19. 증기 3가지는?

20. 대기 중에 존재하는 먼지의 크기는?

해설 0.5μ 이하→폐포에까지 침입하나 호흡운동에 의해 밖으로 배출됨

21. 폐포 침착률이 가장 큰 먼지는?

22. 진폐증을 유발시키는 입자크기는?

해설 5μ 이상→인후 또는 기관지 점막에 침착, 객담과 함께 배출되거나 식도 통해 위속으로 넘어가 버린다.

23. 카드뮴의 주 배출원은?

24. 대기오염물질 플루오르화수소(HF)를 배출하는 업종 2가지는?

25. 먼지로 인한 장애 4가지는?

해설 청변증은 질산성 질소가 원인임

26. 조혈기능에 장애를 일으키는 물질 2가지는?

27. 대기오염물질들 6가지의 고등식물에 독성이 강한 순서는?

28. 황산화물에 예민한 지표식물 2가지는(= 아황산가스의 지표 식물은)?

29. 오존 지표식물은?

30. 염소가스의 지표식물은?

해설 이산화황(SO_2)은 알팔파, 들깨 잎, 사루비아 등이고, 오존(O_3)은 담배, 나팔꽃, 토란 등이며, PAN(peroxyacetyl nitrate)에 대해서는 시금치, 상충, 샐러리, 피튜니아, 근대 등이다. 지표식물이란 대기오염을 빨리 감지하여 환경 파괴의 정도를 알리는 식물을 말한다. 대기오염물질과 지표식물을 나열하여 보면, 아황산가스는 알파파(=자주 개나리)와 참깨이고, 불소 및 불화수소는 글라디올러스와 메밀이며, 오존은 담배 잎이고, 페록시아세틸나이트레이트(=PAN)의 경우는 강낭콩 잎, 염소는 장미 등이다.

31. 황산화물(SO_x, SO_2)?

32. 대기오염이 가장 심한 기압의 형태는?

33. 대기오탁이 잘 발생하는 기후조건은?

해설 굴뚝의 높이를 높였을 때 현상을 Sutton이 확산이론으로 설명했는데 이는 최고 농도는 낮아지지만 오염범위는 넓어진다는 것

34. 매연을 분산시키고자 할 때 연돌의 높이는 주변 건물의 높이에 비해 얼마나 높아야 하나?

35. 다운 워시(Down wash, 세류현상)란?

36. 다운드래프트(down draught=down draft, 공동현상)란?

37. 산성 강우는 pH (①) 이하의 강우를 말하고 대기 중의 (②)가 강우에

포화되어 위의 산도를 지니게 하는 것이다.

38. 산성비에 대한 설명 4가지는?

39. 열대야란?

40. 엘리뇨에 대한 설명 5가지는?

41. 미국대륙 서쪽 동태평양 적도 인근의 해수온도가 상승하면서 일으키는 현상은?

42. 동태평양 적도 인근의 해수온도가 낮아져서 생기는 이상기후 현상은?

43. 라니냐에 대한 설명 4가지는?

44. Cascade Impactor는 무엇을 측정하는 기구인가?

45. 입자상 물질을 측정하는 기구 3가지는?

46. 상온에서 공기 $1m^3$의 무게는?

47. 대기오염물질 중 밀도가 가장 큰 것은?

48. 유속과 밀접한 압력은?

해설 전압=정압+동압, 정압=위치에너지, 동압=운동에너지

49. 풍속을 16방향인 막대기형으로 표시한 기상 도형은?

해설 가장 빈도수 큰 바람을 주풍이라 하는데 이는 오염 확산도를 예측하고 공업지역 위치를 결정하는 중요한 자료임

정답

1 ① 대류권 ② 성층권

2 CFCs(Chlorofluorocarbons, 프레온가스), 약 25km 부근

3 10ppm

4 0.1ppm

5 호흡기 질환 유발, 감염병 유발(예 : 허피스, 말라리아 등), 피부암, 안질환, 백내장 유발, 미생물 감소로 물의 정화 능력 감소시킴

6 ① SO_2 ② Pb ③ O_3 ④ CO ⑤ 미세먼지 ⑥ NO_2

7 SO_2

8 황

9 ① NO ② NO_2

10 질소산화물

11 ① 오존(O_3) ② PAN ③ H_2O_2 ④ NOCL ⑤ HCHO ⑥ PBN

12 ① NO_x ② HC ③ 유기물

13 오후 2~4시

14 입경 1㎛ 이상의 고체입자

15 보통 1μ 이하의 탄소입자

16 미스트(mist) ← '연무'라고도 함

17 퓸(Fume)

18 훈연(Fume)

19 ① fume(고체) ② mist(액체) ③ steam(기체)

20 $0.1 \sim 10\mu$

21 $0.5 \sim 5.0\mu$

22 $0.5 \sim 5.0\mu$

23 아연정련배소로, 동배소로

24 ① 인산비료공업 ② 알루미늄공업

25 ① 금속중독 ② 폐암 ③ 진폐증 ④ 전염성 질환

26 ① 납 ② 벤젠

27 $HF > Cl_2 > SO_2 > NO_2 > CO > CO_2$

28 ① 알팔파(자주 개나리) ② 참깨

29 담배(연초)

30 장미

31 SO_2의 오염이 심한 곳은 상기도, 소화기, 여성의 생식기가 쓰리고, 자극감을 주는 등의 피해가 있고, 황산미스트의 독성은 SO_2보다 약 10배 정도

강하다.

32 정체성 고기압

33 기상역전

34 2.5배 이상

35 바람이 불어오는 반대쪽 굴뚝 위에 발생하는 소용돌이에 의해 연기가 말려들어가는 현상→토출속도를 평균 풍속의 2배 이상으로 하여 연기 확산을 원활히 할 수 있다.

36 연기가 건물 뒤의 소용돌이로 말려 들어가는 현상→굴뚝 높이를 건물 높이의 2~2.5배로 하는 것이 유효함

37 ① 5.6 ② CO_2

38 ① CO_2가 운적되면 pH가 5.6보다 낮아짐

② SO_2는 운적에 흡수되어 황산이온으로 산화

③ HNO_3가스, H_2SO_4 mist는 pH에 크게 영향을 미침

④ 원인은 SO_2 SO_4^{2-} NO_2 등

39 밤 기온이 25℃ 이상

40 ① 남아메리카 페루에서 형성되는 따뜻한 해류

② 비교적 자주 일어나는 현상

③ 해수면의 온도가 평년보다 0.5℃ 이상 높은 것

④ 신의 아들이란 별명

⑤ 따뜻한 해류를 뜻하는 스페인어

41 엘리뇨

42 라니냐

43 ① 동태평양 적도 인근의 해수온도와 관련된 이상기후 현상

② 적도 무역풍이 평소보다 강해지며 차가운 바닷물이 솟아오르는 현상

③ 라니냐는 여자의 이름을 의미이며, 비교적 드물게 일어나는 현상

④ 해수면의 온도가 평년보다 0.5℃ 이상 낮은 것

44 입자상 물질의 크기 측정

45 ① High volume air sampler ② Low volume air sampler

③ Andersen sampler

46 1.2kg

47 SO_2

48 동압

49 풍배도

급수 위생

1. 물 순환의 3단계는?

2. 물은 체중의 몇 %인가?

해설 소아마비, 간염도 수인성 감염병임

3. 수인성 감염병의 특징 5가지는?

해설 수인성 감염병은 치명률, 발병률이 낮다. 발생률은 높다. 치사율과 2차 감염률은 낮다. 발병률은 낮다. 수인성 감염병에는 적리, 장티푸스, 파라티푸스, 콜레라증, 살모넬라증, 병원성대장균증 등이 있다. 수인성 감염병은 계절적 영향을 크게 받지 않는다.

4. 1급수란?

5. 2급수란?

6. 3급수란?

7. 지하수에 속하는 것 4가지는?

해설 하천수는 지하수가 아니고 지표수이다. 심층수는 무기질의 용존이 많고, 위생적으로 깨끗하다. 천층수(sub-surface water)는 소독하고 식수로 사용해야 한다. 천수(rain water)는 미생물을 함유하고 있다. 지표수는 탁도, 유기물, 용존산소량이 높고, 연수이다. 지하수는 경도가 높고 용존산소량이 적다. 유기물이 적다.

8. 용존산소량이 많은 것은?

9. 각종 미생물이 많은 물은?

10. 상수를 처리함으로써 수인성 감염병이 감소되고 일반사망률이 현저히 저하되는 현상은?

11. 상수의 정수과정 6가지는?

12. 상수 처리과정 6가지는?

13. 상수처리계통 7단계는?

14. 급수계통 6단계는?

15. 정수처리과정 5단계는?

해설 급속여과법은 미국식, 역류 세척법, 약품 침전법이고, 완속여과법은 사면대치법이고 영국식 여과법임

16. 급속여과의 여과 속도는 완속여과의 몇 배 정도인가?

17. 급속 여과 장단점 5가지는?

18. 완속여과법 설명 5가지는?

해설 완속여과법이 경도유발물질 제거하기는 어렵다. 경도유발물질은 Ca++, Mg++, Mn++, Fe++, Sr++ 등이 있으나 주로 Ca++, Mg++ 이 경도를 일으킨다.

19. 완속여과법에서 부유물 제거는 주로 어떤 층에서 이루어지는가?

20. 원수의 수질이 탁도와 색도가 높을 때는 ( )가 효과적이다.

21. 모래여과지의 경우 수두 손실에 영향을 주는 인자 4가지는?

해설 여과면적은 손실 수두와 무관함. 수두차=물의 낙차, 벤츄리미터나 오리피스로 폐수량, 하천수령을 측정함. 통과하는 물의 수두(水頭)에 의해 측정함

22. 수두손실이 커지는 경우 4가지 설명은?

23. 음료수의 소독 목적은?

24. 염소소독 대용으로 이용될 수 있는 물질 4가지는?

해설 살균력이 강한 순서 HOCl 〉 OCl^- 〉 클로라민

25. 물의 염소 소독 시 일어나는 반응 중 pH가 알칼리성일 때 잘 진행되는 반응은?

26. 먹는 물의 염소 소독시 클로라민이 유리염소보다 좋은 점 4가지는?

해설 클로라민이 유리염소보다 나쁜 점이 살균력이 약하다는 것임

27. 불연속점(break-point) 염소처리란?

28. 정수장에서 THM(Trihalomethane) 생성을 방지하기 위한 대책 5가지는?

29. 상수도 급수전에서 잔류염소량은 몇 mg/L 이상 되게 하나요?

30. 물의 염소요구량이 10mg/L이고 잔류염소가 0.4mg/L라면 1일 50.000m^3의 물을 소독하는데 필요한 염소의 양은?

해설 염소 전처리는 소독을 목적으로 하는 것이 아니고 염소 후처리가 소독을 목적으로 한다.

[지하수 수질 검사 항목 기준]

분 류	검 사 항 목
미생물에 관한 기준	일반세균(Total Colonies)
	총대장균군
	대장균군(Coliform Group)
건강상 유해 영향 무기물질에 관한 기준	납 (Pb)
	불소(F)
	비소(As)
	세레늄(Se)
	수은(Hg)
	시안(CN)
	6가크롬 (Cr^{+6})
	암모니아성 질소(NH_3-N)
	질산성질소 (NO_3 -N)
	카드뮴 (Cd)
	보론(bolon)
건강상 유해 영향 유기물질에 관한 기준	페놀(Phenol)
	다이아지논(Diazinon)
	파라니온(Parathion)
	페니트로치온(Fenitrothion)

	카바릴(Cabaryl)
	1.1.1-트리클로로에탄 (1.1.1TCE)
	테트라클로로에틸렌(PGE)
	트리크로로에틸렌(TCE)
	디클로로메탄 (Dichloro Methane)
	벤젠(Benzene)
	톨루엔(Toluene)
	에틸벤젠(Ethyle)
	크실렌(Xylene)
	1-1디클로로에틸렌 (1.1Dichloroethylene)
	사염화탄소 (Carbon Tetrachloride)
	1,2-디브로모-3-클로로프로판 (1,2-dibromo-3-chlonoopane)
심미적 영향물질에 관한 기준	경도(Hardness)
	과망간산칼륨소비량 ($KMnO_4$Consumed)
	냄새(Oder)
	맛(Taste)
	동(Cu)
	색도(Color)
	세제(음이온계면활성제:ABS)
	수소이온농도(pH)
	아연(Zn)
	염소이온(Cl)
	증발잔류물(RE)
	철(Fe)
	망간(Mn)
	탁도(Tubidity)
	황산이온(SO_4^{-2})
	알루미늄(Al)

31. 전 염소 처리의 목적 4가지는?

32. 염소를 과다하게 주입하였을 때 탈염소처리 방법 중 가장 흔히 사용되는 방법은?

33. 물의 포기목적 5가지는?

34. 물 포기의 중요한 목적은?

35. 상수처리에서 포기작용으로 일어나는 반응 4가지는?

36. 공기를 물에 흡수시키는 이유는?

37. 물 정수과정 중 콜로이드, 부유물질, 용해성이 적은 물질제거에 유용한 방법은?

38. 응집침전에 관한 설명 5가지는?

해설 화학적 응집침전의 목적은 물속의 부유물질을 제거하기 위한 것

39. 정수처리 약품침전법에 사용되는 약품들은?

해설 황산동은 조류번식방지용으로 사용함

40. 상수 처리 시 사용되는 응집제들은?

41. 칼슘 및 마그네슘 등과 함께 결합하여 영구경도를 조성하는 것은?

해설 물 끓이면 경도 제거되어 연화되는 일시경도는 OH^-, CO_3^{-2}, HCO_3^- 등에 의해 끓여도 경도가 제거되지 않는 영구경도는 Cl^-, SO_4^{-2}, NO_3^-에 의해 유발된다.

42. 경도가 높은 물을 보일러 등에 사용하면 관석(Scale)을 야기하므로 경도를 유발하는 것은?

43. 경수에 해당하는 물은 (①)과 (②)이 많다.

44. 경도제거에 사용되는 약품은?

정답

1 강수 - 유출 - 증발

2 60~70%

3 ① 여과 및 염소소독에 의한 처리로서 환자 발생을 크게 줄일 수 있음

② 모든 계층과 연령에서 발생

③ 치명률, 발병률이 낮음

④ 여름철에 많이 발생하는 등 계절적 영향을 크게 받지 않는다.

⑤ 환자 발생은 급수 구역에 한정되며 경계가 명확

4 어떤 처리를 필요로 하지 않는 지하수, 간이 정수 처리 후 사용할 수 있는 물(상수원의 분류에 있어서는 이렇게 정의함)

5 일반적인 정수 처리 후 사용할 수 있는 물

6 고도의 정수 처리 후 사용할 수 있는 물

7 ① 천층수 ② 심층수 ③ 복류수 ④ 용천수

8 지표수

9 지표수

10 밀스-라인케 현상(Mils-Reincke 현상)

11 ① 침전법 ② 여과법 ③ 폭기법 ④ 소독 ⑤ 응집 ⑥ 특수정수

12 ① 폭기 ② 응집 ③ 침전 ④ 여과 ⑤ 소독 ⑥ 특수정수법

13 ① 수원 → ② 취수시설 → ③ 침전지 → ④ 여과지 → ⑤ 소독시설 → ⑥ 배수지 → ⑦ 소비자(수취침 여소배소)

14 ① 취수 → ② 도수 → ③ 정수 → ④ 송수 → ⑤ 배수 → ⑥ 급수(취도정 송배급)

15 ① 침사 → ② 침전 → ③ 여과 → ④ 염소소독 → ⑤ 급수

16 30~40배

17 ① 수면이 잘 동결되는 지역이 좋다.

② 세균제거율은 95~98%이다.

③ 건설비가 적게 들고 유지비가 많이 든다.

④ 여과속도는 120m/day이다.

⑤ 역류세척을 한다.

18 · 색도제거, 세균제거, 철, 망간제거, 취미제거

· 광대한 면적이 필요하다.

· 모래의 세정은 사면 대치법에 의한다.

· 여과속도는 1일 3~5m 정도이다.

· 유지비가 적게 든다.

19 모래층 표면

20 급속여과

21 ① 공극률 ② 여과층의 깊이 ③ 여과속도 ④ 점성도

22 ① 입자의 지름 ② 여액의 점도 ③ 여과속도 ④ 여지의 깊이 등

23 병원균 사멸

24 ① 오존 ② 브롬 ③ 자외선 ④ 요오드

25 $HOCl \rightarrow H^{+} + OCl^{-}$

26 ① 살균력이 오래 지속 ② 맛이 없음 ③ 잘 휘발하지 않음 ④ 냄새가 없음

27 잔류염소 최하강점 이상으로 염소처리

28 ① 원인유기물질을 제거

② 오존처리법으로 대체

③ 클로라민 살균력을 이용 양호한 수질의 원수를 이용

④ 자외선소독

⑤ 오존 소독, I_3, Br 등을 이용

29 0.1mg/L

30 $(10+0.4)\text{mg/L} \times 50{,}000\text{m}^3/\text{day} \times 10^{-3} = 520\text{kg}$

31 ① 원수 중의 철, 망간을 제거

② 세균 등을 제거

③ 냄새원인인 유기물을 제거

④ 원수의 BOD가 높을 때 적용

32 이산화황가스 주입

33 ① 맛과 냄새 제거

② 가스류 제거

③ 냄새 원인인 유기물 제거

④ 철 망간 성분 제거

⑤ 고온의 우물을 냉각시킬 때

34 이산화탄소의 제거로 물의 pH를 조절한다.

35 ① 물의 pH 상승 ② 산화에 의한 냄새제거 ③ 휘발성 유기물제거 ④ CO_2 가스제거

36 수중에 산소를 넣기 위함

37 응집

38 ① 응집제의 투입량은 적당해야 하고 많이 사용하면 반대 전하로 역전되어 응집효율을 감소

② 응집제는 양이온을 띠는 알루미늄 또는 철염 등이 사용되는데 2가 양이온보다 3가 양이온을 사용하는 것이 응집효과가 크다.

③ 화학제 응집침전의 목적은 물속의 화학물질을 제거하기 위함

④ 응집침전에 소요되는 시간은 일반적인 경우 3~5시간 정도

⑤ 응집제를 주입하는 이유는 콜로이드 입자의 zeta potential을 감소시켜 미세입자를 응집시키기 위한 것

39 · 황산 제1철

· 황산 제2철

· 염화 제2철

· 명반

40 · 황산반토

· 황산제2철

· 황산알루미늄(=Aluminium sulfate=Alum=황산반토)

· 염화제2철

41 SO_4^{-2}

42 CO_2

43 ① 칼슘 ② 마그네슘

44 소석회=$Ca(OH)_2$

수질 오염

1. 물속에서 DO의 농도는 온도의 하강에 따라 ( )한다.

해설 목욕탕 욕조수의 적당한 온도는? 40℃ 정도

2. 용존산소량에 대한 설명 8가지는?

3. 20℃에서의 물의 포화용존 산소량은?

4. 연못이나 호수 등에 DO의 과포화 상태를 일으키는 미생물은?

5. BOD 곡선에서 1단계 BOD를 유발시키는 물질은?

6. 표준 생물화학적 산소요구량이란 몇 도에서 얼마 동안 저장 후 측정한 값인가?

해설 하수의 오염지표는 BOD 폐수의 오염지표는 COD임

7. 하수종말처리시설 방류수 수질기준 중 잠실수중 보권역의 BOD 허용기준은?

8. 하천오염 진행상태를 알아보기 위한 지표로 가장 타당성 있는 항목은?

해설 수중의 암모니아성 질소(Ammonia Nitrogen)는 분뇨와 가축폐수 및 공장폐수 등의 혼입으로 나타나며 수질오염을 추정하는 유력한 지표이다. 수중에 용해되어 있는 "암모늄염을 질소량"으로 표시하며, 분변 오염의 지표가 되고, 음용수 기준치는 0.5㎎/ℓ이다.

9. 물속의 질산성질소는 ( )을 유발한다.

10. 질소 화합물의 최종분해 산화물질은?

11. 폐수처리에서 미생물에 의해 유기성질소의 산화 분해되는 과정을 순서대로 쓰면?

12. 혐기성 상태에서 탈질소화 반응의 과정 순서 3가지는?

13. 부유물질(SS : suspended solids)은 여과에 의해 분리되는 물질로?

14. Wipple은 하천의 하수유입으로 인한 변화 상태를 네 가지로 나누어 놓았다. 이중 DO가 45% 정도이고 곰팡이가 살고 있는 지대는 어느 지대인가?

15. 심하게 오염된 하천의 분해지대에서 생기는 질소화합물의 형태는?

16. 자정작용이 양호한 지대에서 발생하는 것은?

해설 수질이상 원인과 처리방법

증 상	처 리 방 법
하수에서 발생하는 세제냄새, 부패한 냄새	진한 염소를 사용하여 침투되는 장소에서 원인 제거. 활성탄 필터로 제거
수도관, 온수장치, 주전자에 백색 스케일 침전됨	연수화를 위해서 양이온 장치로 칼슘과 마그네슘염 제거
물속에 녹 물질이 포함된 경우, 적색을 띄거나 침전물이 포함된 경우	방해석 소재 필터로 제거, 침전시켜 철 제거
조리를 할 때나 물을 가열할 때 물에서 붉은 적색이 나타나는 경우	연수화 장치로 제거할 수 있음
자기로 만든 욕조에 녹색 이물질 침전, 물에 푸른색 자국이 남음	자연산 방해석 필터로 저감

17. 하천의 하류에서부터 상류로 발견되어지는 미생물의 순서 4가지는?

18. 하천에서 어떤 생물이 관측되면 비교적 깨끗하며 용존산소가 어느 정도 풍부하다고 할 수 있는 생물은?

19. 성층 현상과 가장 관계 깊은 인자는?

20. 성층 현상에 대한 설명 5가지는?

21. 전도 현상(turnover)으로 수질이 악화될 우려가 있는 계절은?

22. 부영양화를 일으키는 인자는?

23. 적조현상의 촉진요인 5가지는?

24. 생물농축계수를 구하는 식은?

해설 수은은 미나마타병, 크롬은 비중격 천공증(피부 부식), 카드뮴은 이타이이타이병, 단백뇨

25. 유기 염소 화합물인 (①), (②) 등은 주로 (③)에 축적된다.

26. '알킬수은'은 ( )과 주로 결합한다.

27. 음용수에서 구리(①)를 1mg/L로 규제하는 것은 (②) 때문이다.

28. 철은 (①)의 색깔, 망간은 (②)의 색깔을 띤다.

29. 카드뮴 중독의 증상은?

30. 납 중독의 증상과 가장 문제되는 장소는?

해설 납중독증상으로 소화기 증상(구토, 설사, 복통 및 식욕저하)과 빈혈, 신경이상 증상(신경과민, 히스테리, 맹목, 경련, 혼수, 마비 등), 피부 창 백, 납선 통 등이 나타나며, 심할 경우 사망할 수도 있다. 급성 중독 시 창 백, 구토, 복통, 유연, 비유감소(젖소), 산란감소(닭) 등의 증상이 나타나고, 만성 중독 시 소화기 증상으로는 변비, 구토, 식욕부진과 빈혈, 신경증상, 호흡곤란이 나타난다.

31. 유기수은 중독의 증상은?

32. 시안 중독의 증상들과 가장 문제되는 장소들은?

33. 비소(As) 중독의 증상은?

해설 발암 물질임 - 농약 제조 공장

34. 크롬 중독의 증상과 가장 문제되는 장소는?

35. 안료 제조공장에서 배출되는 중금속들은?

해설 Cr^{3+}는 별로 독성이 없으나 Cr^{6+}는 심장병 등의 원인이 되는 등 독성이 아주 강함

36. 유기인이 문제되는 곳은?

37. CS_2(Cesium) 중독의 증상은?

38. 질식성가스는?

정답

1 증가

2 ① 수온이 낮고 기압이 높을수록 증가

② 가장 낮은 점이 임계점

③ 염류농도가 낮을 때 상승

④ 해수나 경수는 매우 낮다.

⑤ 난류가 심할수록 증가

⑥ 해수가 담수보다 낮다.

⑦ 20℃ 1기압에서 맑은 물의 포화 용존 산소량은 9.17mg/L

⑧ 공기 중의 산소가 공급원이므로 과포화 되는 경우 있음

3 9.17ppm≒9.2ppm

4 조류

5 탄소화합물

6 20℃ 5일간

7 10ppm

8 암모니아성 질소 대량 검출

9 청색아증(Methaemoglobinemia)

10 질산성 질소

11 유기성 질소 → NH_3-N → NO_2-N → NO_3-N

12 ① 질산성 질소 → ② 아질산성 질소 → ③ 질소가스

13 크기는 0.1~1000㎛

14 분해지대

15 NH_3

16 NO_3^-

17 ① rotifer → ② stalked ciliate → ③ suctoria → ④ bacteria

18 Rotifer

19 온도

20 ① 표수층과 수온 약층의 깊이는 대개 7m 정도이고 그 이하는 저수 층

② 여름이나 겨울이 봄과 가을보다 현저하다.

③ 호수나 저수지 내의 세균제거율은 유기물이 파괴되는 율보다 느려진다.

④ 수온에 따른 물의 수온구배와 용존산소량 농도구배는 같은 모양

⑤ 반대개념인 전도현상은 수질에 나쁜 영향을 미친다.

21 봄과 가을

22 정체수역, 화학비료(인산비료), 합성세제, 분뇨, 질산염, 탄산염, 인산염

23 ① 해류 정체 ② 수온 상승 ③ 영양염류 증가 ④ 질소 농도 증가 ⑤ 인 농도 증가

24 생물체 중의 농도(ppm), 환경수중의 농도(ppm)

25 ① PCB ② DDT ③ 지방조직

26 단백질

27 ① Cu ② 맛

28 ① 적수 ② 흑수

29 골연화증

30 적혈구의 감소, 축전지 제조 공장

31 시야협착, 지각장애

32 질식, 호흡 작용 저지, 코크스 공장, 도금공장

33 흑피증

34 비중격 천공증, 온도계 제조공장

35 Pb, Cd, Cr 등

36 농약공장

37 정신병증

38 포스겐(phosgen)

폐 하수 처리 및 분뇨 처리

[1] 물리적 처리 및 화학적 처리

1. 하수처리과정 3가지 순서는?

2. 하수처리설비 중 전처리 설비 3가지는?

3. 하수처리과정 중 예비처리과정 4가지는?

해설 호기성 분해 처리는 본 처리(2차 처리)임

4. 침사지의 설치 목적은?

5. 침사지에서 제거되는 사석의 최종처리방법은?

6. 침사지 유입구에 설치하는 정류판(baffle)의 설치 목적은?

해설 하수처리에서 활성오니와 살수 여상조는 본 처리(2차 처리)에 해당됨

7. 침사지에서 부유물질의 침강속도를 감소시키는 요인으로 작용하는 것은?

8. 원형 침전지에서 유출구의 톱니모양의 weir를 설치하는 이유는?

9. 하수구가 최초침전지를 흐르는 동안 DO의 감소가 많은 이유는?

10. 공장폐수처리법 중 부상(浮上)처리 법이 적당한 곳은?

해설 요업공장의 폐수는 침강성 좋은 점토질이 대부분이므로 침강법이 적당

11. 유분을 다량 포함한 폐수의 처리를 위한 유효한 장치는?

12. 6가 크롬을 처리하려면 먼저 3가 크롬으로 환원시킨 후 수산화물 침전으로 침전한다. 환원제로 쓰는 것은?

해설 차아염소산나트륨은 산화제이다.

13. 시안폐수처리법은?

해설 오존산화법(pH11~12), 전기 분해법, 폭기법 등도 이용된다.

14. 활성탄 사용하여 제거하는 것으로는?

15. 산업폐수처리법으로는?

해설 역삼투압법은 산업폐수처리법과 무관하다. 산업폐수를 처리할 때 삼투막만 사용함. 압력은 없음. 한편, 역삼투압법이란 해수를 담수로 만들어 먹을 때 강제로 압력을 가하여 통과하는 것임

16. 물속의 철분을 제거하기 위한 효과적인 방법은?

해설 pH2 이하에서는 철분이 용존되므로 부상분리가 안 된다.

17. 독성이 가장 강한 크롬의 형태는?

정답

1 ① 예비처리 → ② 본처리 → ③ 소독
2 ① 스크린 ② 침사지 ③ 1차침전지
3 ① 제진망 ② 침사지 ③ 침전지 ④ 스크린
4 하수 중 모래, 자갈, 금속 등을 제거하기 위하여
5 매립
6 침사지 전체 단면에 균일한 분포로 흐르게 하기 위하여
7 처리수의 점성도가 클 경우
8 유속을 균일한 분포로 분산시키기 위하여
9 침전된 슬러지를 자주 제거하지 않았기 때문에
10 유지공장, 제지공장, 합성세제공장, 정유공장
11 부상분리장치
12 중아황산나트륨, 황산제1철, 아황산가스, 철조각
13 알칼리염소법(가장 보편적인 방법임)
14 맛, 냄새, 색도, ABS
15 활성탄처리법(흡착), 이온교환막법(투석), 역삼투법(삼투), 포말 분리법(흡착), 중화법, 이온교환법, 산화환원법
16 오존산화, 폭기, 모래여과, 석회소다법
17 6가 크롬

[2] 생물학적 처리(미생물, 호기성 처리, 혐기성 소화)

1. 미생물은 산소와 관련하여 어떻게 세 가지로 구분되나?

해설 호기성, 혐기성의 두 가지가 아님에 주의

2. 미생물의 증식곡선의 단계는?

3. 활성 슬러지의 미생물학적 설명 5가지는?

4. 용존산소(DO)의 농도 및 pH가 낮은 경우에도 잘 자라는 미생물은?

5. Fungi는 용존산소의 농도가 (①)mg/L 이하일 때도 박테리아보다 잘 성장하며 pH가 (②)때에도 박테리아보다 잘 성장한다.

6. Fungi가 많이 성장하면 침전이 잘 안되는데 이런 현상을 ( )이라고 한다.

7. 생물학적 처리법은?

8. 호기성 처리에는?

9. 혐기성 처리에는?

10. 도시하수의 2차 처리는?

11. 활성 슬러지 처리 시험 설명 5가지는?

12. SA(sludge-age)란?

13. 활성 오니법에서 F/M비란?

해설 MLSS(포기조 혼합액의 부유물질 즉, 포기조의 미생물)의 무게당 가해지는 BOD 부하량

14. 다음 SVI에 대한 기술 5가지는?

해설 SVI(Sludge Volume Index) : 활성 슬러지의 침강성을 보여주는 지표, 슬러지지표, 슬러지용량지표, 반응조 내 혼합액을 30분간 정체한 경우 1g의 활성슬러지 부유물질이 포함하는 용적

15. 활성 슬러지법에 의한 처리장 침전지에서 팽화(bulking)하는 슬러지는 어떤 결과 초래하나?

16. 침전이 잘 되지 않는 팽화현상을 야기하는 생물은?

17. 가장 벌킹하기 쉬운 폐수는?

18. 벌킹의 대책 5가지는?

19. 포기조의 표면에 황갈색 또는 흑갈색 거품의 이유는?

해설 흰 거품은 SRT(슬러지일령, solids retention time)가 너무 짧아서 발생한다.

20. 미생물 대사 및 처리에 적당한 폭기조(포기조) 유입구의 BOD : N : P 비율은?

21. 활성오니법의 변법에는?

해설 산화지법은 호기성 처리 방법의 한 종류로 활성오니법의 변법이 아님

22. 살수여상법의 장점은?

해설 bulking 문제는 활성 슬러지 처리시 문제된다.

23. 폐수의 살수여상법에서 여상표면에 생기는 생물학적 세균은?

24. 살수여상법에 대한 설명 5가지는?

25. 살수여상에서 일어나는 사항은?

해설 팽화(bulking)현상은 활성 슬러지법의 단점

26. 호기성 산화지의 수심은?

27. 산화지법으로 오수를 정화할 때 가장 중요한 사항은?

28. 생물산화지법으로 하수를 처리할 경우 하수정화에 가장 필요한 생물은?

29. 혐기성 처리의 온도와 처리일수 중 중온소화법의 온도와 처리일수는?

30. 혐기성 처리 과정에서 메탄가스가 발생하는 기간은?

31. 유기물질이 부패될 때 가장 많이 발생하는 가스는?

32. 혐기성 세균에 의해 분해될 때 발생하는 폭발성 기체는?

33. 메탄가스의 성질은?

34. 혐기성분해시 메탄균의 최적 pH는?

정답

1 호기성, 혐기성, 임의성

2 유도기-대수기-정지기-사멸기

3 ① 내생성장단계는 미생물 빨리 응결되고 침전성 좋아 높은 BOD 제거율이 기대
② 감소성장단계는 살아있는 미생물의 무게보다 미생물 전체 원형질의 무게 증가
③ 대수성장단계는 영양분이 충분한 가운데 미생물이 최대의 율로 번식하는 단계
④ 미생물의 성장곡선은 증가하다가 감소하는 현상
⑤ 내생성장단계는 미생물 그들 자신 원형질을 분해시켜 원형질의 전체무게 감소

4 Fungi(곰팡이)

5 ① 0.5 ② 낮을

6 슬러지 팽화, sludge bulking

7 호기성 처리와 혐기성 처리

8 활성오니법, 살수여상법, 산화지법, 관개법, 회전원판법이 있다.

9 혐기성 소화, 임호프조, 부패조가 있다.

10 주로 활성오니법(활성 슬러지법)을 이용한다.

11 ① 포기 조 내 폐수 농도가 pH는 6~8일 때가 좋다.
② 포기 조 내 용존산소 농도가 0.5mg/L 이하가 되지 않도록 한다.
③ 포기 조 내에서 미생물의 성장이 활발한 온도는 20~30℃.
④ 포기 조 내의 폐수 중 독성물질이 적을수록 좋다.
⑤ 폐수 속에 영양염류를 첨가하는 경우도 있다.

12 포기조 내의 슬러지의 체류시간

13 F/M=Food to Microorganism

14 ① 50~150 범위가 좋으며
② BOD나 수온에 큰 영향을 받는다.

③ 수치가 적을수록 슬러지가 농축되기 쉽다.

④ 침강 농축성을 나타내는 지표

⑤ 값은 〈SV(%)×10000〉÷MLSS(mg/L)

15 유출수의 SS 농도가 높아진다.

16 Fungi

17 양조장폐수, 펄프제지공장폐수, 제당폐수 등

18 ① 유입수를 감소한다. ② 유입수를 희석하여 BOD 부하를 낮춘다.

③ 반송 슬러지를 재 포기한다. ④ 염소를 적량 주입한다.

⑤ 포기량을 증가한다.

19 너무 긴 SRT로 세포가 과도하게 산화하기 때문

20 100 : 5 : 1

21 산화구법, 장기포기법, 접촉안정법, Kraus법, 심층폭기법, 단계식부하법, 표준활성슬러지공법

22 bulking 문제가 없다.

23 호기성 세균

24 ① BOD 및 SS 제거율은 활성오니법보다 낮다.

② 유지관리가 용이하다.

③ 유입하수의 농도변동에 대해 비교적 강하다.

④ 포기에 동력이 필요 없다.

⑤ 고도의 소화된 처리수가 얻어진다.

25 파리 발생, 냄새발생, 여상의 연못화현상, 수두손실 크다.

26 1.5m 이하

27 햇빛

28 녹조류

29 30~35℃에서 30일 정도 소화

30 알칼리(alkali) 발효기=알칼리소화과정

31 메탄가스

32 메탄가스

33 무색, 무취, 폭발성

34 7.0~8.2

[3] 분뇨처리

1. 1인 1일 분뇨 배출량은?
2. 성인 1인 1일의 분뇨의 배설량은?
3. 분과 뇨의 구성비는 양적으로?
4. 우리나라 도시의 분뇨처리장으로 수거되는 분뇨의 BOD_5는?
5. 분뇨 내 유기물은 어느 미생물에 의해 소화되는가?
6. 분뇨의 악취발생 원인 가스는?
7. 분뇨정화조를 최초로 가동할 때는 어떤 방법?
8. 분뇨정화조의 일반적인 구조는?
9. 분뇨정화조 설명 4가지는?
10. 가정용 정화조에서 주된 분해 작용을 하는 곳은?
11. 임호프조에서 혐기성 분해가 일어나는 곳은?

    해설 임호프조는 침전과 부패가 한 탱크에서 일어난다.

12. 임호프조에서 일어나는 작용은?
13. 분뇨의 기생충 란 사멸에 필요한 부숙 기간은?
14. 분뇨를 활성슬러지법으로 처리할 경우 생 분뇨의 희석배수는?
15. 환경보전법상 분뇨처리장 BOD 방류수 수질 기준은?
16. 우리나라 농촌에서 연료문제 또는 분뇨의 위생적 처리면을 고려할 때 가장 좋다고 생각되는 변소형은?

17. 하수의 운반시설 중 합류식의 장점 4가지는?

해설 분류식의 장점은 항상 일정한 유량을 유지한다는 것임

18. 하수도의 맨홀을 설치하는 이유는?

해설 메탄 분해 촉진은 아님

19. 가연성폐기물에는?

해설 연탄재, 유리병은 가연성이 아닌 대표적인 것들

20. 폐기물 수거의 계통 5가지 단계는?

21. 폐기물관리에서 비용이 가장 많이 소요되는 것은?

22. 분뇨의 pH는 7 정도이므로 퇴비화 할 때 ( )는 고려하지 않아도 된다.

23. 폐기물을 퇴비화 할 때 적정온도는?

24. 폐기물을 퇴비화 할 때 적정 C/N비(=탄소(Carbon)/질소(Nitrogen)는?

25. 폐기물을 퇴비화 시킬 경우 질소분이 충분하지 못할 때 이를 보충시키는 질소원으로 적당한 것은?

26. 일반 소각 처리할 때 연소가스배출을 방지하기 위한 출구온도는?

27. 폐기물 소각법의 장점 4가지는?

해설 건설비가 비싸다는 것은 단점에 해당됨

28. 복토재료를 가장 손쉽게 구할 수 있는 방법은?

29. 부패성 유기성 물질인 폐기물 매립 시 높이는 얼마를 넘지 않아야?

해설 부패성(지정폐기물이 아닌 것)이 40% 이상인 것은 3m 되기 전에 복토한다.

30. 폐기물 매립지에서 발생하는 기체는?

해설 SO_2는 산화 시 발생하므로 아님

31. 폐기물 매몰지 위에 집을 건축하려면 몇 년 후에 가능한가?

정답

1. 1L
2. 0.9~1.0L/c.d.
3. 1:10 분은 0.1L, 뇨 0.9L, 고형물의 비는 7:1 정도
4. 8000~15000mg/L
5. 유기산균과 메탄균
6. NH_3와 H_2S
7. 우선 물을 채운 다음 가온한다.
8. 부패조-예비여과조-산화조-소독조
9. ① 부패조는 혐기성 분해가 일어난다.
   ② 산화조는 호기성 분해가 일어난다.
   ③ 수세식 변소시설에 설치한다.
   ④ 소독조는 염소, 표백분 등으로 처리한다.
10. 부패조
11. 소화실
12. 고체, 액체의 분리 및 부패작용
13. 여름 1개월, 겨울 3개월
14. 20~30배
15. 30mg/L 이하
16. 메탄가스 발생식 변소
17. ① 수리가 용이하다.
    ② 빗물에 의해 하수관이 자연히 청소된다.
    ③ 점검이 간단하다.
    ④ 건설비가 적게 든다.
18. 환기효과, 청소의 용이, 관거(=管渠) 내 검사의 편리, 관거의 접합 편리
19. 종이류, 플라스틱류, 섬유류, 부엌 쓰레기 등
20. 발생원-저장용기-수거차-적환장-처리장
21. 수거(전체의 60% 이상임)

22 pH

23 65~75℃

24 25~35(혹은 30 내외)

25 분뇨

26 850℃

27 ① 남은 열의 회수가 가능하다.
② 매립에 비해 넓은 토지를 필요로 하지 않는다.
③ 기후에 영향을 거의 받지 않는다.
④ 시 중심부에 설치 가능하다.

28 도랑식 매립(도랑을 2.5~7m 정도 파고 매립함)

29 3m

30 CH_4, NH_3, CO_2, H_2S

31 20년

산업 보건 및 기타

[1] 산업 보건

1. 한국에서 산업안전보건법이 제정 공포된 연도는?

2. 산업재해지표(모두 천분율로 계산함)로는?

해설 발병률은 아님

3. 실질적인 재해정도를 가장 잘 나타내는 지표는?

4. Heinrich가 주장하는 작업장 내의 현성 : 불현성 : 잠재성 재해의 비는?

해설 현성재해는 1/330에 불과하다는 것

5. 작업자에 대한 검사에 꼭 필요한 것들은?

해설 체력검사는 아님

6. 사람과 접촉이 많은 직업종사자의 신체검사는 연 몇 회 실시하는가?

7. 근로자의 육체적 근로강도를 표시하는데 사용되는 지표는?

8. 육체적 작업강도의 지표로써 에너지 대사율(RMR=Relative Metabolic Rate)을 계산할 때 요구되는 요소는?

9. 중노동의 경우 섭취해야 할 영양소는?

10. 고온작업자가 섭취해야 할 영양소는?

11. 저온작업자가 섭취해야 할 영양소는?

해설 직업병의 발생원인과 다발 직업들
• 이상고온(용광로공 및 화부) • 이상저온(냉동작업과 터널작업자) • 이상기압(고산병, 잠함병, 항공병) • 방사선 장애(x-ray취급자, 방사선 물질 취급자(생식불능증)) • 소음(조선공, 제철공) • 이상진동(착암공, 천공공, 도로작업공(혈관신경증)) • 공기오염(석공, 채광부, 도자기공(진폐증), 인쇄공, 염료공, 축전지공, 도료공(납중독), 섬유공, 제재공(천식증)) • 작업의 과중(수경련, 근시) • 운동부족(위장병, 소화불량) • 불량작업자세(정맥류, 편평족) • 작업의 불규칙(불면증)

12. 고열작업장에서 만성적인 증상은?

13. 열 경련의 주요원인은?

14. 체온조절의 부조화로 올 수 있는 열 중증은?

15. 공기 중의 질소가 고압환경 및 감압 시에 인체에 미치는 영향은?

16. 잠수부가 해저 50m에서 작업을 할 때 인체가 받는 절대압은?

17. 방사능 물질에 가장 예민한 신체부위는?

18. 전리방사선에 대한 감수성이 가장 높은 장기는?

19. 전리방사선에는?

20. 전리 방사선 중 피부투과력이 가장 큰 것은?

해설 투과력의 크기 : X선>γ선>β선>α선

21. 방사선 동위원소 취급근로자의 보호대책으로 가장 적절한 방법은?

22. 급성 수은 중독의 가장 전형적인 증상은?

23. 신장 기능 장애로 단백 뇨가 나타나는 중금속은?

24. 1713년 이탈리아에서 도기사의 병으로 알려진 병의 원인물질은?

25. 직업과 직업병을 연결하여 기록한다면?

26. 연(鉛)중독의 일반적인 초기증상은?

27. 벤젠중독 장애는?

28. 다이옥신에 대한 설명 5가지는?

29. 방열복용으로 가장 많이 사용되는 방열 재료는?

30. 작업환경 개선의 기본 원칙인 격리에 관한 사항은?

해설 작업 장소의 격리는 아님

정답

1 1981년

2 건수율(재해 건수/평균 실근로자수), 강도율(손실 작업일수/연 근로시간수), 도수율(재해 건수/연 근로일수), 중독률(손실 근로일수/재해 건수)

3 도수율

4 1 : 29 : 300

5 정신적 적성검사, 신체계측, 신체기능검사, 건강진단

6 2회

7 에너지 대사율

8 작업대사량과 기초대사량

9 탄수화물과 단백질, 비타민 B_1

10 식염, 비타민 A, B_1, D

11 지방질, 비타민 A, B_1, C, D

12 열 쇠약(만성 열 중증)

13 탈수로 인한 수분부족과 염분배출량이 많을 때

14 열사병

15 중추신경계에 마취작용

16 6기압

17 임파선

18 골수

19 α, β, γ, X, 중성자선 등임

20 X선

21 격리

22 구내염

23 카드뮴

24 납

25
- 용접공-백내장
- 인쇄공-납중독
- 항공기정비사-소음성난청
- 도료공-빈혈
- 용광로 화부-열 쇠약

26 식욕 저하, 혈액비중 저하, 적혈구 감소, 권태

27 조혈기능 장애

28 ① 청산가리보다 독성이 만 배나 크다.
② 각종 폐기물 소각과정에서 생기는 무색, 무취의 유기물
③ 체내에 축적되면 배설되지 않는다.
④ 동물 실험에서 암이나 기형을 유발하였다.
⑤ 지용성이므로 체내에 축적되면 배설되지 않는다.

29 알루미늄

30 시설격리, 저장물의 격리, 공정의 격리, 발생원의 격리

[2] 소음 진동

1. 음의 특징 설명 5가지는?

2. 진동현상의 초당 반복횟수는?

3. 소음의 허용한계는 8시간 기준으로 몇 dB인가?

   해설 115dB를 초과해서는 안 된다.

4. 청력장애(난청)을 일으키기 시작할 수 있는 음의 최저치는?

5. 건강인이 들을 수 있는 음역의 범위는?

6. 인간의 가청주파수의 범위는?

7. 작업성 난청을 조기 발견할 수 있는 주파수는?

8. 소음성 난청의 초기 단계인 C_5-dip 현상이 잘 일어나는 주파수는?

9. 진동과 관련 있는 질환은?

   해설 손바닥이 창백하고 청색으로 변하면서 통증을 느낀다.

정답

1 ① 소리란 음 강도와 주파수로 구성
② 음 크기는 파장의 진동 종류에 따라 다르다.
③ 음 크기는 매질의 종류에 따라 다르다.
④ 음 강도는 매질의 진동에 의하여 결정
⑤ 주파수란 진동 현상의 초당 반복 횟수

2 주파수

3 90dB

4 90~95dB

5 20~20,000Hz

6 20~20,000Hz

7 4,000Hz

8 4,000Hz

9 레이노이드 현상(Raynaud's phenomenon)

[3] 집합소 위생

1. 수영장(pool)의 잔류염소량은?

   해설 잔류염소량은 1.0ppm(mg/L), 유리 잔류염소량은 0.4~1.0ppm(mg/L), 단, 오존으로 사전 처리 시에는 0.2mg/L임(잔류염소량은 0.5mg/L)

2. 풀장의 잔류염소량은?
3. 상수도 염소 소독시 잔류염소량 기준은?
4. 풀장의 수질기준 5가지는?
5. 욕조수의 과망간산 칼륨 소모 허용량은?
6. 목욕탕 원수의 온도는?
7. 수영장 물의 청명도는 흰 바닥을 배경으로 직경 15cm의 흑색 판이 몇 m 거리에서 명확히 관찰돼야 되나요?
8. 수영장의 입욕한계 인원은?
9. 온천수 등의 욕수에 대한 수질기준 항목은?

정답

1 1.0ppm

2 1.0ppm

3 0.2ppm 이상 4.0ppm을 넘지 아니할 것

4 ① 일반세균수는 1ml 당 200이하

② $KMnO_4$ 소비량이 12ppm 이하일 것
③ 대장균은 10ml 씩 5개 중에서 3개 이상이 음성일 것
④ pH는 5.8~8.6일 것
⑤ 탁도는 2.8 NTU 이하일 것

5 25ppm을 초과하지 말 것

6 42℃ 이상

7 9m

8 2.5㎡에 1인

9 대장균군

[4] 주택 위생

1. 단층주택의 공지와 전 대지와의 비는 ( )이 좋다.
2. 주택의 위생학적 조건 5가지는?
3. 침실의 1인당 소요기적(소요체적)은?
4. 침실의 1인당 면적은?
5. 실내의 자연환기에 영향을 미치는 요인은?

   해설 실내외의 기습 차와는 무관하다.

6. 실내 자연환기의 작용은 무풍 시에는 주로 무엇에 의해 일어나는가?
7. 실내 자연환기가 잘 되는 것은 일반적으로 중성대가 어느 위치인가?
8. 가옥의 벽체재료 중 열전도율이 가장 큰 것은?
9. 창의 채광효과를 높이려면?
10. 개각(가시각)은 (①) 입사각(앙각)은 (②)정도가 좋다.
11. 거실의 안쪽길이는 바닥에서 창쪽 위부분의 ( ) 이하인 것이 좋다.

12. 일조시간은 약 (①)이 좋으나 최소한 (②) 이상은 햇빛이 비추어야 한다.

13. 창의 면적은 바닥 면적의 몇 ( )%가 좋다.

14. 교실, 현관, 복도, 층계, 실험실(일반)의 적절한 조도는?

15. 실내의 최저기준 조도는?

해설 사무실, 도서실, 학교 교실은 80~120Lux, 대합실, 강당은 30~80Lux임

16. 여름철 실내 냉방 시 실내외 온도차가 몇도 이내라야 위생학적으로 적당한가?

17. 난방이 필요한 실내 온도는?

18. 중앙난방은?

해설 난로난방은 국소난방임

19. ( )은 짠 음식, 매운 음식과 관계있다.

20. 기온이 몇 도씩 하강할 때마다 1CLO의 보온력 피복을 더 입어야 하는가?

해설 방한력과 보온력의 관계 : 의복의 방한력 단위는 CLO가 사용되는데, 이는 열 차단력 단위로 21℃(=70°F) 기습 50% 이하, 기류 10cm/sec에서 피부 온도가 33℃(=92°F)로 유지될 때, 의복의 방한력을 1CLO로 하고 있다. 방한력이 가장 좋은 것은 4CLO이고, 방한화는 2.5CLO이며, 방한장갑은 2CLO이고, 보통작업복은 1CLO이다.

정답

1 3 : 10

2 ① 지하수위는 3m 이상이 좋다.
② 인근에 공해업소가 없을 것
③ 폐기물 매립 후 20년 후에 주택지로 사용한다.
④ 지질은 유기물에 오염되지 않은 사토(砂土)가 좋다.
⑤ 언덕의 중복에 위치할 것

3 10㎥

4 4㎡

5 실내 기류의 속도, 기체 확산력, 옥외의 풍속, 실내외의 기온 차

6 실내외의 온도차

7 천정가까이

8 콘크리트

9 앙각(입사각)>개각(가시각)

10 ① 4~5° ② 27~28°

11 1.5배

12 ① 6시간 ② 4시간

13 15~20%

14 300~600Lux

15 60Lux

16 5~7℃ 이내

17 10℃ 이하

18 증기난방법, 온수난방법, 공기난방법, 지역난방법

19 고혈압

20 8.8℃

[5] 소독

1. 병원미생물의 생활력을 파괴 또는 멸살시켜 감염 및 증식력을 없애는 조작은?

2. 소독 작용에 영향을 주는 것은?

   해설 멸균 > 소독 > 방부 순으로 작용강도가 세다.

3. 석탄산을 이용한 무균 수술법을 창시한 사람은?

4. 각종 소독제의 작용기전?

5. 미생물의 살균 작용에 있어 가장 중요한 살균기 작용은?

6. 화학물질이나 항생제 등이 균의 증식을 일시적으로 억제시키는 것은?

7. 이학적 소독법과 같은 말은?

8. 화염멸균법은 건열멸균법과 습열멸균법 중 어느 것인가?

9. 건열멸균법은 160~170℃에서 몇 시간 실시하나?

10. 석탄산계수에 대한 설명 5가지는?

11. 석탄산 계수가 2이고 석탄산의 희석배수가 30인 경우 실제 소독약품의 희석배수는?

해설 석탄산계수=소독약의 희석배수÷석탄산의 희석 배수

12. 석탄산수의 장점은?

13. 석탄산수의 단점 4가지는?

14. 소독약과 사용 농도와의 연결을 정리하면?

15. 객담, 토물, 배설물, 실내 벽, 실험대, 기차, 선박 소독에는?

해설 객담=가래(sputum) 담, 한편, 토혈과 각혈의 각각의 뜻을 알아둘 것

16. 분변소독에는?

17. 하수소독에는?

18. 식수에 염소를 주입하는 가장 큰 이유는?

19. 폐수에 염소를 주입하는 목적은?

해설 병균제거는 아님

20. 환자가 퇴원하든가 또는 격리 수용된 전염 원을 제거하기 위한 소독법은?

정답

1 소독

2 수분, 시간, 온도, 청결(세균과의 접촉)

3 J. Lister

4 alcohol(단백응고 작용), H_2O_2(산화 작용), phenol(균체효소의 불활성화), mercurochrom(균체단백과 염을 형성), Cl_2(산화작용에 의한 살균)

5 미생물의 단백질 응고작용

6 정균작용

7 물리적 소독법

8 건열 멸균법

9 1시간(60분)

10 ① 값이 크면 소독력이 큰 것
② 석탄산 희석 배수에 대한 소독약의 희석배수
③ 시험 균은 장티푸스균이나 포도상구균임
④ 시험 균을 5분 이내에 죽이지 않고 10분 내에 죽이는 희석배수
⑤ 20℃에서 살균력을 실험함

11 60배

12 유기물에 약화되지 않는다.

13 ① 피부점막에 마비성이 있다.
② 취기와 독성이 강하다.
③ 금속에 대해 자극성이 있다.
④ 피부 점막 자극한다.

14
· 석탄산-3%
· 과산화수소-3%
· 승홍-0.1%
· 알코올-75%
· 클로르칼크- 5%
· 크레졸 비누액-3%

· 페놀-5%

15 5% phenol

16 생석회

17 염소

18 병균을 죽이기 위하여

19 냄새제거, 악취제거, BOD 감소, 부식방지

20 종말소독법

선별 문제

01. 자외선에 대한 설명 중 틀린 것은?

① 100~3970Å 파장의 전자파를 총칭

② 생체세포가 파괴

③ 단파장은 오존층에서 흡수

④ 식물 성장을 촉진

⑤ 살균선 또는 Dorno선이라고도 부름

해설 억제한다.

02. 산성비에 대한 설명 중 틀린 것은?

① CO_2가 운적되면 pH가 5.6보다 낮아짐

② SO_2는 운적에 흡수되어 황산이온으로 산화

③ HNO_3가스, H_2SO_4 mist는 pH에 크게 영향을 미침

④ 원인은 SO_2 SO_4^{-2} NO_3 등이 아님

해설 원인은 SO_2, SO_4^{-2}, NO_3 등이다.

03. 엘리뇨에 대한 설명으로 틀린 것은?

① 남아메리카 페루에서 형성되는 따뜻한 해류

② 비교적 자주 일어나는 현상

③ 해수면의 온도가 평년보다 0.5℃ 이상 낮은 것

④ 신의 아들이란 별명

⑤ 따뜻한 해류를 뜻하는 스페인어

해설 높은 것

04. 라니냐에 대한 설명으로 틀린 것은?

① 동태평양 적도 인근의 해수온도와 관련된 이상기후현상

② 적도 무역풍이 평소보다 강해지며 차가운 바닷물이 솟아오르는 현상

③ 라니냐는 여자의 이름을 의미

④ 비교적 드물게 일어나는 현상

⑤ 해수면의 온도가 평년보다 0.5℃ 이상 높은 것

해설 낮은 것

05. 수인성 감염병의 특징이 아닌 것은?

① 여과 및 염소소독에 의한 처리로서 환자 발생을 크게 줄일 수 있음

② 모든 계층과 연령에서 발생

③ 치명률, 발병률이 낮음

④ 여름철에 많이 발생하는 등 계절적 영향을 크게 받음

⑤ 환자 발생은 급수 구역에 한정되며 경계가 명확

해설 계절적 영향을 크게 받지 않는다.

06. 먹는 물의 염소 소독시 클로라민이 유리염소보다 좋은 점이 아닌 것은?

① 살균력이 오래 지속

② 맛이 없음

③ 잘 휘발하지 않음

④ 냄새가 없음

⑤ 살균력이 강함

해설 살균력이 약하다.

07. 정수장에서 THM(Trihalomethane) 생성을 방지하기 위한 대책이 아닌 것은?

① 원인유기물질을 제거 ② 오존처리법으로 대체
③ 클로라민 살균력을 이용 ④ 저 농도의 염소를 주입
⑤ 양호한 수질의 원수를 이용
⑥ 자외선소독, 오존 소독, I_3, Br 등을 이용

해설 저 농도 염소주입은 옳지 않다.

08. 물의 염소요구량이 10mg/L이고 또 잔류염소가 0.4mg/L라면 1일 10,000m^3의 물을 소독하는데 필요한 염소의 양은?

09. 정수 처리과정 중 전 염소 처리의 목적에 적합하지 않는 것은?

① 원수 중의 철, 망간을 제거 ② 세균 등을 제거
③ 냄새원인인 유기물을 제거 ④ 원수의 BOD가 높을 때 적용
⑤ 소독을 목적으로 하며 적정 잔류염소를 유지

해설 소독 목적은 염소후처리의 목적임

10. 다음 중 물의 포기 목적에 해당되지 않는 것은?

① 맛과 냄새 제거 ② 가스류 제거
③ 냄새 원인인 유기물 제거 ④ 철 망간 성분 제거
⑤ 용존 유기물 제거 ⑥ 고온의 우물을 냉각시킬 때

해설 휘발성유기물 제거

11. 상수처리에서 포기작용에 의해 일어나지 않는 것은?

① 물의 pH 하강 ② 산화에 의한 냄새 제거
③ 휘발성 유기물 제거 ④ CO_2 가스 제거

해설 상승

12. 활성 슬러지의 미생물학적 작용이 아닌 것은?

① 내생성장단계는 미생물 빨리 응결되고 침전성 좋아 높은 BOD 제거율이

기대

② 감소성장단계는 살아있는 미생물의 무게보다 미생물 전체 원형질의 무게 감소

③ 대수성장단계는 영양분이 충분한 가운데 미생물이 최대의 율로 번식하는 단계

④ 미생물의 성장곡선은 증가하다가 감소하는 현상

⑤ 내생성장단계는 미생물 그들 자신 원형질을 분해시켜 원형질의 전체무게 감소

해설 증가한다.

13. 활성 슬러지 처리시험을 실시할 때 유의 사항이다. 틀린 내용은?

① 포기조 내 폐수 농도가 pH는 6~8일 때가 좋다.

② 포기조 내 용존산소 농도가 0.5mg/L 이하가 되지 않도록 한다.

③ 포기조 내에서 미생물의 성장이 활발한 온도는 20~30℃

④ 포기조 내의 폐수 중 독성물질이 많을수록 좋다.

⑤ 폐수 속에 염양염류를 첨가하는 경우도 있다.

해설 적을수록 좋다.

14. SVI(sludge volume index, 슬러지 용적 지표)에 대해 틀린 것은?

① 50~150범위가 좋으며 BOD나 수온에 큰 영향이 없다.

② 수치가 적을수록 슬러지가 농축되기 쉽다.

③ 침강 농축성을 나타내는 지표

④ 값은 〈SV(%)×10000〉÷MLSS(mg/L)

해설 큰 영향을 받는다.

15. 응집침전에 대한 설명 중 틀린 것은?

① 응집제의 투입량은 적당해야 하고 적게 사용하면 반대전하로 역전되어 응집효율을 감소

② 응집제는 양이온을 띠는 알루미늄 또는 철염 등이 사용되는데 2가양이

온보다 3가양이온을 사용하는 것이 응집효과가 크다.

③ 화학제 응집침전의 목적은 물속의 화학물질을 제거하기 위함

④ 응집침전에 소요되는 시간은 일반적인 경우 3~5시간 정도

⑤ 응집제를 주입하는 이유는 콜로이드 입자의 zeta potential을 감소시켜 미세입자를 응집시키기 위한 것

해설 많이 사용하면

16. 용존 산소량(DO)에 대해 틀린 것은?

① 수온이 낮고 기압이 높을수록 증가

② 가장 낮은 점이 임계점

③ 염류농도가 낮을 때 상승

④ 해수나 경수는 매우 높다.

해설 낮다.

17. 호수나 저수지 등에 오염된 물이 유입될 경우 수온에 따른 밀도 차에 의하여 형성되는 성층현상에 대해 잘못 설명한 것은?

① 표수층과 수온 약층의 깊이는 대개 7m 정도이고 그 이하는 저수 층

② 여름이나 겨울보다 봄과 가을에 현저하다.

③ 호수나 저수지 내의 세균제거율은 유기물이 파괴되는 율보다 느려진다.

④ 수온에 따른 물의 수온구배와 용존산소량 농도구배는 같은 모양

⑤ 반대개념인 전도현상은 수질에 나쁜 영향을 미친다.

해설 거꾸로 임

18. 적조 현상은 어패류의 죽음까지 몰고 온다. 이의 촉진 요인이 아닌 것은?

① 해류 정체 ② 염분농도 증가 ③ 수온 상승

④ 영양염류 증가 ⑤ 질소와 인 농도 증가

19. 폐기물 소각법의 장점이 아닌 것은?

① 남은 열의 회수가 가능하다.

② 매립에 비해 넓은 토지를 필요로 하지 않는다.

③ 기후에 영향을 거의 받지 않는다.

④ 건설비가 비싸다.

⑤ 시 중심부에 설치 가능하다.

해설 ④는 단점임

20. 다이옥신에 대한 설명으로 옳지 않은 것은?

① 청산가리보다 독성이 만 배나 크다.

② 각종 폐기물 소각과정에서 생기는 무색, 무취의 유기물

③ 체내에 축적되면 배설되지 않는다.

④ 동물 실험에서 암이나 기형을 유발하였다.

⑤ 수용성이므로 체내에 축적되면 배설되지 않는다.

해설 수용성이 아니고 지용성임

21. 음의 특징이 아닌 것은?

① 소리란 음 강도와 주파수로 구성

② 음 크기는 파장의 진동과 매질의 종류에 따라 다르다.

③ 음 강도는 매질의 진폭에 의하여 결정

④ 주파수란 진동 현상의 초당 반복 횟수

해설 진폭이 아니고 진동임

22. 풀장의 수질기준 중 맞지 않는 것은?

① 일반세균수는 1ml 당 100 이하

② $KMnO_4$ 소비량이 12ppm 이하일 것

③ 대장균은 10ml씩 5개 중에서 3개 이상이 음성일 것

④ pH는 5.8~8.6일 것

⑤ 탁도는 2.8 NTU 이하일 것

해설 200 이하임

23. 주택의 위생학적 조건에 적합지 않은 것은?

① 지하수위는 3m 이상이 좋다.

② 인근에 공해업소가 없을 것

③ 폐기물 매립 후 20년 후에 주택지로 사용한다.

④ 지질은 유기물에 오염되지 않은 사토(砂土)가 좋다.

⑤ 언덕의 하복에 위치할 것

해설 중복에 위치할 것

24. 활성오니법에서 bulking의 대책에 관한 기술 중 틀린 것은?

① 유입수를 감소한다.

② 유입수를 희석하여 BOD 부하를 낮춘다.

③ 반송 슬러지를 재 포기한다.

④ 염소를 적량 주입한다.

⑤ 포기량을 감소한다.

해설 bulking시에는 포기량을 증가한다.

25. 살수여상에 대한 설명 중에 틀린 것은?

① BOD 및 SS 제거율은 활성오니법보다 높다.

② 유지관리가 용이하다.

③ 유입하수의 농도변동에 대해 비교적 강하다.

④ 포기에 동력이 필요 없다.

⑤ 고도의 소화된 처리수가 얻어진다.

해설 낮다.

26. 분뇨정화조에 대한 설명 중 잘못된 것은?

① 화학적 응집 처리 후 방류한다.

② 부패 조는 혐기성 분해가 일어난다.

③ 산화 조는 호기성 분해가 일어난다.

④ 수세식 변소시설에 설치한다.

⑤ 소독 조는 염소, 표백분 등으로 처리한다.

27. 하수의 운반시설 중 합류식의 장점이 아닌 것은?

① 수리가 용이하다.

② 빗물에 의해 하수관이 자연히 청소된다.

③ 점검이 간단하다.

④ 건설비가 적게 든다.

⑤ 항상 일정한 유량을 유지한다.

해설 분류식의 장점임

28. 석탄산 계수의 설명 중 틀린 것은?

① 값이 크면 소독력이 큰 것

② 석탄산 희석 배수에 대한 소독약의 희석배수

③ 시험 균은 장티푸스균이나 포도상구균임

④ 시험 균을 5분 이내에 죽이지 않고 10분 내에 죽이는 희석배수

⑤ 36℃에서 살균력을 실험함

해설 20℃에서 살균력을 실험함

29. 석탄산수의 단점이 아닌 것은?

① 유기물에 약화되지 않는다.

② 피부점막에 마비성이 있다.

③ 취기와 독성이 강하다.

④ 금속에 대해 자극성이 있다.

⑤ 피부 점막 자극한다.

해설 ①은 장점임

30. 역사적인 대기오염 사건 중 황화수소와 관련된 것은?

① 포자리카 사건(멕시코, 1950)

② 런던 스모그 사건(영국, 1952)

③ 로스엔젤레스 사건(미국, 1954)

④ 뮤즈계곡사건(벨기에, 1930)

⑤ 도노라사건(미국, 1948)

해설 포자리카 사건(멕시코, 1950. 11)은 멕시코 공업지대인 포자리카에서 공장조작 중 황화수소가 인근 마을로 다량 누출되어 분지를 이룬 이곳에 기온 역전으로 피해를 일으켰는데, 인구 22,000명 중 320명이 급성 중독, 22명이 사망, 다수의 국민이 기침·호흡곤란·점막 자극 등으로 시달렸다.

31. CFC는 흔히 냉장고와 에어컨의 냉매로 사용되어 왔다. 프레온 가스라고 부르는 이기체는 냉장고, 가정과 사무실 에어컨 압축냉매 그리고 자동차 에어컨등과 산업용으로 발포제로 쓰이는 등 아주 다양하게 사용 되었다. 그 결과 태양의 자외선을 완화시켜주고 지구상의 생물들에게 유해한 빛을 걸러주는 이 물질을 심각한 상태로 파괴하기에 이르렀다. 대기층 상층부에 이 물질의 양이 희박하게 되면, 피부암과 실명 등 인체에 아주 위험한 상황을 초래할 수 있다. 이 물질은?

① 산소 ② 이산화탄소 ③ 오존 ④ 질소 ⑤ 아황산 가스

해설 오존 자체는 아주 불안정한 물질로서 다른 분자와 결합을 잘 하기 때문에 소독 작용의 역할이 있다. 그러나 대량의 오존을 장기간 흡입하면 폐와 기관지가 손상되기 때문에 주의해야 한다.

32. 대기오염과 관련된 발암물질은?

① 석면 ② 둘신 ③ 알드린 ④ 벤조피렌 ⑤ 아크릴라마이드

해설 발암물질은 벤조피렌 등이 대표적인 것으로, 배기가스·공장매연·담배연기 등에서 검출되며, 숯불고기에는 lkg당 50μg이 검출된다. 아크릴아마이드의 경우는 1965년 합성 방부제로서 식품첨가물로 허가되었으나, 발암성이 알려져 1974년에 취소되었다. 둘신은 인공 감미료나 혈색소를 메트헤모글로빈으로 전환시키는 혈액독(血液毒)이 있다고 알려졌고, 실험용 쥐에 투여한 결과 간암이 발생하여 사용이 금지되었다. 산업성 노출 근로자에서 석면에 의해 특정한 암의 발생이 증가되고 있음이 알려져 있다. BHC(공업용), 알드린, DDT, PCB(polychlorinated biphenyl) 등은 살충제 · 공업용 화합물로서 생활환경에 도입되어 주로 간종양을

발생시키며, 이 밖에도 클로람페니콜과 같은 항생물질로서 인체에서 재생불능성 빈혈 및 백혈병을 유발하는 것이 있다. 아플라톡신은 간암 원인물질이며, 곰팡이의 대사산물로 때로는 메주와 된장 속에서 검출된 바 있다.

33. 전자오락 게임을 하다 발작을 일으킨 어린이들이 많아 붙여진 이름이며, 증상은 게임 도중 갑자기 의식을 잃고 쓰러지면서 발작을 일으키는데, 주로 10~13세 사이의 어린이들에게 자주 발병하는 이 증후군은 무엇인가?

① 닌텐도증후군 ② 주의력결핍 과다행동장애
③ VDT증후군 ④ 다운증후군
⑤ 새집증후군

해설 닌텐도증후군은 오랜 시간 깜박거리는 빛에 자극받아 생기는 광(光)과민성 간질 발작으로 세계적인 가정용 전자오락게임 제조업체인 일본 닌텐도사가 만든 전자오락 게임을 하다 발작을 일으킨 어린이들이 많아 붙여진 이름이다. 증상은 게임 도중 갑자기 의식을 잃고 쓰러지면서 발작을 일으키다가 깨어난다. 주로 10~13세 사이의 어린이들에게 자주 발병한다. 주의력결핍 과다행동장애(ADHD, Attention Deficit Hyperactivity Disorder), VDT증후군[VDT syndrome]은 컴퓨터의 스크린에서 방사되는 X선 · 전리방사선 등의 해로운 전자기파가 유발하는 두통 · 시각장애 등의 증세이다. 컴퓨터단말기증후군이라고도 한다.

34. 담배의 성분 중 폴로늄-210(polonium-210)이라는 방사성 물질은 폐암을 일으킬 수 있다고 한다. 다음은 담배에서 나올 수 있는 유해 물질들인데 이중 발암 물질은?

① 벤조피렌 ② 일산화탄소 ③ 아세톤 ④ 암모니아 ⑤ 페놀

해설 담배 속의 주요 유해 물질
비소(개미 살충제로 사용됨), 암모니아(세척제로 사용됨), 부탄(불붙이는 점화 액으로 사용됨), 카드뮴(재충전 배터리에 사용됨), 일산화탄소(차 배기가스에 포함됨), 청산칼리(쥐약으로 사용됨), 포름알데히드(시체 방부제로 사용됨), 메탄올(독약)

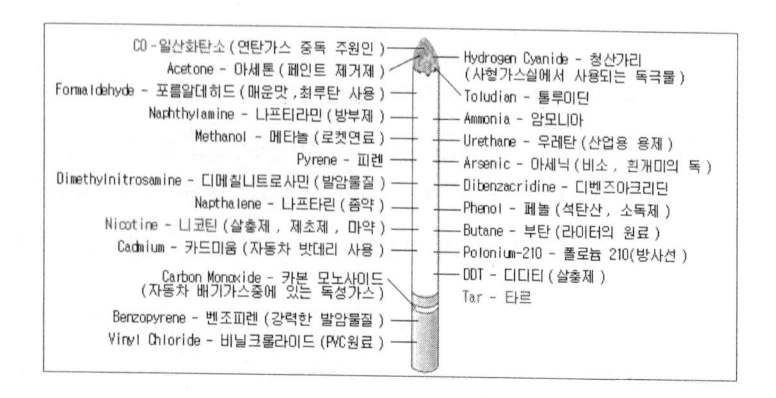

35. 낚시의 미끼로서 사용되는 갯지렁이의 사체에 파리와 개미가 모여들면 중독사하는 것에서, 그 유해성분이 연구된 살충제는?

① 클로르파시논 ② 피발 ③ 칼탑 ④ 피레스린 ⑤ 카바메이트

해설 네레이스톡신계 살충제는 낚시의 미끼로서 사용되는 갯지렁이의 사체에 파리와 개미가 모여들면 중독사하는 것에서, 그 유해성분이 연구되어 1934년 네레이스톡신으로 명명되었다. 그 후 화학구조가 밝혀지고 1967년에 이 유도체 물질 중에서 유효한 살충제로서 개발된 것이 칼탑제(패턴)이다. 본 약제는 특히 경구살충작용이 뛰어나고, 극히 소량의 섭식으로 해충이 빠르게 마비되어 죽음에 이르게 된다.

정답

1	2	3	4	5
④	④	③	⑤	④
6	**7**	**8**	**9**	**10**
⑤	④	(10+0.4)mg /L×10,000 m^3/day×10 - 3=104kg	⑤	⑤
11	**12**	**13**	**14**	**15**
①	②	④	①	①
16	**17**	**18**	**19**	**20**
④	②	②	④	⑤
21	**22**	**23**	**24**	**25**
⑤	①	⑤	⑤	①
26	**27**	**28**	**29**	**30**
①	⑤	⑤	①	①
31	**32**	**33**	**34**	**35**
③	④	①	⑤	③

3. 식품위생학

식품위생의 개요

1. 검체를 채취하여 검사기관에 운반할 때 유지해야 할 기준온도는?

2. NaCl이 미생물의 생육을 억제하는 이유는?

3. 소금의 방부 작용은?

   해설 10% 이상의 식염농도에서 미생물의 발육이 억제된다.

4. 미생물의 생육을 억제시킬 수 있는 당의 농도는 몇 % 이상인가?

5. 호기성 부패균의 방지법은?

6. 식품의 미생물 발육을 억제하는 방법 중에서 온도를 내리는 방법은?

7. 저온살균 처리한 식품에는 미생물이 존재할까? 존재하지 않을까?

8. 미생물이 잘 번식하지 않는 경우는 Aw 수치가 낮은 경우인가? 높은 경우인가?

   해설 Aw(water activity, 수분 활성치, 혹은 수분량)

9. 염장 처리시 식염의 농도는?

10. 중온균의 발육최적온도는?

11. 저온균의 최적온도는?

12. 중온균의 최적온도는?

13. 고온균의 최적온도는?

14. 산소의 존재유무와 상관없이 증식하는 미생물 그룹은?

해설 호기성균은 산소가 존재하는 상태에서만, 혐기성균은 산소가 없을 때, 통성혐기성균은 산소의 여부에 상관없이 증식 가능한 균임

15. 어류의 사후변화

해설 자가소화는 조직효소인 cathepsin에 의한 것이지 미생물에 의한 것이 아니다. 발효(탄수화물이 분해된 것), 변패(탄수화물, 당질, 지질의 변질), 부패(단백질의 변질)는 미생물에 의한 것이고 갈변은 산소가 관여하는 것이다.

16. 변패를 측정하는 지표로는?

해설 휘발성염기질소는 부패판정지표임, TBA가(=Thiobarbituric Acid Assay) : 유지나 유지식품에 있어 산화시 생성되는 carbonyl 화합물 중 malon aldehyde 량을 나타내는 수치로서 유지의 산패도를 측정하는 척도임. 특히 육류의 지방질 산패여부 판정에 이용→TBA 높을수록 산패 많이 진행된 것, 유지의 산패도 측정에는 carbonyl가, POV(=peroxide value), TBA가 등이 있다. 산패는 변패에 포함되는 것임

17. 발효란 식품 중 어떤 물질이 미생물에 의해 분해되는 것인가?

해설 발효(fermentation)는 탄수화물이 산소가 없는 상태에서 분해되는 것이고, 부패(putrefaction)란 단백질이 분해되는 것이다.

18. 효모의 배양조건은?

19. 산패 생성물은?

해설 amine은 단백질의 변성이므로 지방의 변화인 산패와 무관함

20. 산패의 형태는?

해설 환원형은 아님

21. 감자 절단 시 갈변 원인은?

22. 효소의 구성성분은?

23. 유지의 자동산화에 의해서 생성된 물질로 경구적으로 섭취되면 생체내의 효소의 활성을 저해하여 독성을 나타내는 물질은?

24. 부패를 판정하는 방법 중 가장 기초적인 방법은?

25. 위생검사는?

해설 혈청학적 검사는 아님

26. 부패는 보편적으로 (①) 검사를 실시해서 판정하며 함 질소 유기화합물이 (②)성 상태에서 분해되는 것으로 암모니아 트리메틸아민(③) 등이 생성물로 나온다.

27. 어패류의 신선도 저하와 더불어 감소되는 것은?

28. 어류가 부패시 비린내를 나게 하는 물질은?

29. 아미노산의 탈탄산 반응으로 생성된 물질은?

30. 생균수를 측정하는 목적은?

31. 생균수 측정 결과(1g당 10^8 이상)이면?

32. 초기부패로 판정하는 세균수는?

33. 식품 중의 생균수 안전한계는?

34. 어패류의 경우 휘발성 염기질소가 어육 100g당 몇 %가 되면 초기부패로 판정하는가?

35. Allergy 식중독을 일으킬 수 있는 histamine의 양은?

36. Water activity(Aw)에 관한 설명 5가지는?

37. 부패미생물의 생육이 가능한 최저 수분 활성치(Aw)의 순서는?

38. 미생물의 침해를 받지 않는 수분 활성치는?

해설 보통 0.60~0.65에서는 미생물의 생육이 정지된다.

39. 미생물의 생육을 완전히 저지할 수 있는 수분함량과 수분활성(Aw)은?

40. 내건성 미생물이 증식할 수 없는 최저수분의 양은?

41. 수분활성이 0.30 이하가 되면 산화되기 쉬운데 그 이유는?

42. 대상물에서 병원균을 사멸시켜 감염을 방지하는 것은?

43. 아포 형성균의 멸균에 이용되는 방법은?

44. 자외선에 대한 설명 5가지는?

45. 자외선살균에 대한 설명 5가지는?

해설 자외선은 물체 내부까지 깊숙한 투과력을 갖지 못하기 때문에 식품의 심부까지 살균할 수 없다.

46. 방사선조사에 대한 설명 7가지는?

해설 방사선 조사는 식품의 심부까지 살균할 수 있다.

47. 고온에서 미생물이 사멸하는 이유는?

48. 청량음료수의 멸균방법으로 가장 이상적인 것은?

해설 중성세제는 소독의 효과가 없다.

49. 단백질 억제효과란?

50. 결핵균에 소독효과가 가장 약한 것은?

① 승홍수 ② 70% 알코올 ③ 크레졸 비누액
④ 석탄산수 ⑤ 역성비누

51. 우유의 살균지표 물질은?

해설 우유비중 1.028~1.034, 우유 소독에 적용되는 것은 유해한 균만 살균, 저온살균법, 영양과 맛의 보존, 소독 후 즉시 냉장을 요함 등이다.

52. Pasteurization(저온살균)이란 몇 ℃에서 몇 분간 가열하는 것인가?

53. 고온살균은?

54. 초고온살균은?

55. 건열멸균기의 사용온도와 시간은?

정답

1 5℃ 이하
2 식품 내의 수분 활성저하, 산소분압의 감소, Cl^-의 독작용, 삼투압에 의한 원형질 분리
3 삼투압 작용
4 50%
5 통조림법
6 냉동법
7 존재한다.
8 낮은 경우
9 10%가 좋다.
10 25~40℃
11 10℃ 내외
12 25~35℃
13 60~70℃
14 통성혐기성균
15 사후강직-강직해제-자가소화-부패('사강자부'로 암기)
16 과산화물가, TBA가, carbonyl가, 산가
17 탄수화물
18 혐기적
19 aldehyde, alcohol, ester, ketone
20 가수 분해형, 산화형, ketone
21 산화환원효소
22 단백질
23 hydroperoxide
24 관능적 방법
25 관능검사, 생물학적 검사, 물리적 검사, 화학적 검사
26 ① 관능 ② 호기 ③ Trimethylamine

27 Trimethylamine oxide

28 Trimethylamine

29 amine

30 신선도 여부를 알려고

31 식품이 신선하지 않은 상태이다.

32 10^{7-8}/g

33 10^{5}/g

34 30~40mg%(=0.03~0.04%)

35 400mg% 이상

36 ① 밀폐 용기 내 수증기압과 최대증기압의 비로 표시
② 미생물이 이용할 수 있는 수분을 나타낸 것
③ 일반세균의 증식 가능 Aw는 0.96 이상
④ 효모의 증식 가능 Aw는 0.88 이상
⑤ 곰팡이의 증식 가능 Aw는 0.81

37 세균(0.96)>효모(0.88)>곰팡이(0.81)

38 0.60 이하

39 수분함량 14% 이하, Aw 0.60

40 15% 이하

41 산소의 공격

42 소독

43 간헐멸균법

44 ① 피부점막에 장애
② 물체 내부에까지 깊은 투과력을 갖지 못함
③ 가장 살균력이 있는 파장은 2400~2800 혹은 2500~2900Å
④ 15W 살균 등의 경우 20cm 직하에서 대장균이 1분 이내에 사멸
⑤ 가시광선보다 파장이 짧다.

45 ① 식품의 품질에 영향을 거의 미치지 못한다.
② 취급이 쉽고 식품의 뒷부분이나 내부에는 효과가 없다.
③ 실내공기, 각종 음료수 등의 살균에 이용된다.

④ 식품의 뒷부분이나 내부에는 효과가 없다.

⑤ 2600Å 부근에서 살균 작용이 강하다.

46 ① 60Co-γ선, 137Cs-γ선, 90Sr-γ선 등이 이용

② 동위원소에서 방사되는 전리방사선을 식품에 조사, 미생물을 살균하는 방법

③ 투과력이 강하기 때문에 식품의 심부까지 살균

④ 살균, 살충, 생육억제, 품질개량 등의 목적으로 이용

⑤ 안정성을 비롯한 여러 가지 문제점이 남아 있다.

⑥ 온도상승 없이 이른 바 냉 살균 가능

⑦ 대량처리가 가능

47 효소단백질의 변성

48 초고온 순간살균법(130~140℃에서 수 초간 급냉하는 것임)

49 탄수화물과 단백질이 공존시 미생물이 탄수화물을 먼저 에너지원으로 이용하는 현상

50 ⑤

51 Phosphatase

52 63℃, 30분간 가열

53 71.1℃, 15초

54 130℃, 2초

55 160~170℃, 30~60분

식품과 미생물

1. 세균의 내열성이 가장 큰 때는?

2. 토양 미생물 중 그 수가 가장 많은 것은?

해설 세균, 방선균, 사상균, 원충, 효모 중 세균이 90%임

3. 탄수화물 식품에서 주로 형성되는 미생물은?

4. 자연계에 가장 널리 분포하고 식품오염의 주역으로 알려진 미생물은?

5. 호기성이며 전분 분해력이 강한 내열성 아포를 형성하는 균속은?

6. 간장에 이용되는 미생물은?

7. 청국장 제조 미생물은?

8. 어류 부패 미생물 중 대표적인 것은?

9. 신선한 어류에서 우점종으로 나타나는 세균속은?

10. 겨울철 생유에서 발생하면 고미유(苦味乳)의 원인이 되는 세균은?

11. 우유를 청색으로 변화시키는 균은?

12. 우유를 녹색으로 변화시키는 균은?

13. 딸기, 채소, 밀감 등 원예작물의 부패에 관여하는 곰팡이 속은?

14. Proteus 속의 일반적인 성질은?

15. Allergy 식중독을 일으키는 세균은?

16. 발효식품에 유용한 미생물은?

17. 세균보다 저온에서 발육하고 낮은 온도에서 저항이 큰 생물체는?

18. pH 4.0에서도 번식이 양호한 생물체는?

19. 곰팡이의 발생조건 6가지는?

20. 간장이나 과즙 등의 부패미생물로 잘 알려진 것은?

21. 수분 함량이 적은 건조식품이나 과일류에서 우선적으로 번식하는 미생물은?

22. 미생물 중 당분해 효소를 만드는 것은?

23. 미생물 중 당분해 효소를 만들지 않는 것은?

24. Aspergillus flavus가 Aflatoxin을 생산하는데 필요한 생육조건은?

해설 강산이나 강알칼리에서는 쉽게 분해되어 불활성화 됨

25. 쌀에 황변미 일으키는 미생물은?

26. Aflatoxin에 대한 설명 5가지는?

27. 흑변 현상을 일으키는 곰팡이는?

28. 식품 변패에 관여하는 곰팡이 속은?

29. 통성 혐기성 균이며 단세포의 형태를 취하는 것 중에서 세균이 아닌 것은?

30. 유기영양을 이용하여 살아가는 종속 영양균으로 진핵생물의 하나인 것은?

31. 맥주, 포도주 등 주류제조에 많이 이용되는 효모는?

해설 효모는 빵・맥주・포도주 등을 만드는 데 사용되는 미생물로 자낭균강(子囊菌綱)에 속하며, 적은 수만이 담자균강(擔子菌綱)에 속한다. 자낭균강에 속하는 효모는 빵・맥주 등을 만드는 빵효모(Saccharomyces cerevisiae)가 대표종이다.

32. 식품오염여부와 정도를 측정하는데 이용되는 항목은?

33. 해수세균은 약 몇%의 NaCl이 있는 환경에서 잘 번식하는가?

34. 냉동식품에 대한 분변오염의 지표는?

35. 냉장식품, 건조식품, 가열식품 등의 오염 지표균은?

36. 대장균군과 장구균 비교 두가지는?

해설 식중독균 예방수칙 중 "도마, 식칼, 행주 등은 잘 씻어서 사용한다"는 것은 틀린 말이고 삶거나 건조시킨 뒤에 사용해야만 된다는 것이 옳다.

37. 그람음성균과 양성균의 세포벽에 공통적으로 존재하는 화학물질은?

해설 그람 양성인 경우 Peptidoglycan만 존재, 그람 음성인 경우 Peptidoglycan, lipoprotein, phospholipid, lipopolysaccharide 등이 존재

정답

1 pH가 중성일 때
2 세균
3 유산균
4 Bacillus 속
5 Bacillus
6 Asp. oryzae
7 Bacillus nato
8 Pseudomonas
9 Pseudomonas
10 Pseudomonas fluorescens
11 Pseudomonas aeruginosa
12 Pseudomonas fluorescens
13 Rhizopus
14 장내세균의 일종, 단백질 분해력이 강한 호기성 부패균, 37℃ 부근에서 발육하며 Gram 음성균, Histamine을 축적, 동물성 식품의 부패균
15 Proteus morganii
16 Bacillus nato, Aspergillus oryzae, Penicillium expansum, Lactobacillus bulgaris
17 곰팡이
18 곰팡이
19 ① 산성식품과 과일류에 잘 번식
② 고농도의 당염을 함유한 탄수화물 식품에서 잘 번식
③ 수분 10%의 건조식품이 외계에 노출되었을 때 잘 번식
④ 세균의 번식이 잘 안 되는 곳에서 잘 번식
⑤ pH 4.0 이하에 식품을 보관할 때 발생
⑥ 일정한 건조도에 달하여 세균의 증식이 저지되었을 때 발생
20 곰팡이

21 곰팡이

22 Rhizopus delemar Asp. oryzae B. sultilis

23 Asp. flavus

24 주요기질은 탄수화물, 최적습도 80% 이상, 최적온도 25~30℃, 기질수분 16% 이상, pH는 4(산성)인 식품에서 잘 번식

25 곰팡이

26 ① 탄수화물이 풍부한 곡류에서 많이 발생

② 기질수분 16% 이상 상대습도 80~85% 이상에서 생성된다.

③ Aspergillus flavus가 생성한다.

④ 강산이나 강알칼리에서는 쉽게 분해되어 불활성화 된다.

⑤ 최적온도 25~30℃, 발암성 등 독성이 문제가 되는 것은 B_1, M_1이다.

27 Aspergillus niger

28 Mucor

29 효모

30 효모

31 Saccharomyces cerevisiae

32 일반세균수, 대장균, 장구균

33 3%

34 장구균식중독

35 장구균

36 · 생육(生肉)에서의 검출율은 대장균군과 장구균 둘 다 낮다.

· 오염 지표균인 대장균군과 장구균은 외계에서 저항성이 강하다.

37 Peptidoglycan

식중독 및 역학적 조사법

1. 가장 심한 발열 증상 있는 식중독은?

2. 마요네즈와 같은 식품이 일으킬 수 있는 식중독은?

3. 살모넬라 식중독을 예방하기 위한 가열온도와 시간은?

4. 장염 비브리오균의 특징은?

해설 가열처리하거나 민물에 씻는 것이 장염 비브리오 식중독 예방법임

5. 장염 비브리오 식중독의 잠복기는 ( )이다.

6. 장염 비브리오균은 분열시간이 ( )로 짧다.

7. 포도상구균 식중독의 특징은?

8. 원인 식품의 우유 및 유제품 등으로 가열처리하여도 식중독을 유발시킬 수 있는 세균은?

9. Neurotoxin은?

10. Enterotoxin은?

11. Clostridium botulinum은?

12. Clostridium perfringenes는?

해설 Clostridium perfringenes는 토양세균이며 자연계에 널리 분포하고 있고 편성혐기성 아포 형성 간균이다. Bacillus subtilis는 고초균으로 자연계의 토양, 물, 마른 풀 등에 널리 분포하고 아포(포자)를 형성하는 Gram 양성균이며 운동성이 있다.

13. 보툴리누스 식중독균은?

14. 잠복기가 12~36시간인 식중독은?

15. 발열증상이 거의 없는 식중독은?

16. Clostridium은?

17. 파충류의 정상 장내세균으로서 가금류의 알이 주원인이 되는 식중독균은?

18. 가스괴저균 식중독은?

19. 방사능 오염물질은 무슨 식중독의 일종일까요?

20. 둘신은?

21. Urotropin은?

22. Rongalite는?

23. 설탕보다 250배의 단맛, 혈액 독을 유발하는 것은?

24. 간장 등을 양조할 때 가장 흔히 쓰이는 착색료는?

25. 폭발당 또는 살인당으로, 설탕보다 200배의 단맛을 내는 것은?

26. 염기성 타르황색색소, 단무지착색에 사용되었던 불허용첨가물은?

27. 핑크색 염기성 타르색소로 주로 과자 등에 사용되어 화학적 식중독을 유발하는 것은?

28. 두부의 방부목적으로 사용하여 문제되던 독성물질은?

29. 주로 간장 등에 사용되는 불허용 보존료는?

30. 햄, 베이컨 등에 방부목적 사용하는 소화불량, 식욕감퇴 등의 원인은?

31. 물엿이나 연근 등의 표백제에 이용하여 문제를 일으키는 물질은?

32. 식품을 불에 구울 때 생성되며 암을 유발시키는 물질은?

33. 형광물질이 검출되어 식품위생상 문제가 될 수 있는 물질은?

34. 플라스틱용기 중 식품위생상 가장 문제가 많은 것은?

35. 열경화성 수지용기에 식품 저장할 때 용출되어 인체에 장애 줄 수 있는 물질은?

36. 플라스틱 제품(수지)이 뜨거운 식품과 접촉 때 용출될 수 있는 독성물질은?

37. 메틸알코올의 중독 증상은?

해설 환각은 아님

38. 유해금속류에 의한 식중독 중에서 공통적인 사항은?

39. 화학물질에 의한 식중독의 원인물질이 아닌 것은?

① 카드뮴　② 수은　③ 철　④ 구리　⑤ 불화물

40. 도자기에 묻은 유약으로 인해 용출될 수 있는 금속물질은?

41. 두부에 가해지는 소석회 등에 불순물로 들어 있어 식중독 화학물질인 것은?

42. 첨가물의 불순물로 존재, 밀가루 등으로 오인, 중독을 일으키는 물질은?

43. 알코올, 음료 등에 첨가해 구토, 반상치 및 칼슘대사 저해 물질은?

44. 유기인제 농약에 의한 중독기전은?

45. 유기인제 농약 중독으로 나타나는 증상은?

46. 만성중독의 위험성이 가장 큰 농약류는?

47. PCB(=polychlorinated biphenyls)는?

48. 식품오염에 문제되는 방사능 물질 4가지는?

49. 식물성 자연독의 유독물질 성분분류 4가지는?

해설 강산배당체를 함유하는 것은 아님

50. 점액이 있고 공기 중에서 변색되는 버섯은?

51. 독버섯의 독성분 주요 4가지는?

해설 Mytilotoxin은 마비성 패독소임

52. 독버섯의 성분으로 자율신경계에 작용하는 물질은?

53. 독버섯의 성분으로 자율신경계에 작용하여 부교감신경 말초흥분을 일으키는 유독물질은?

54. Lampterol은?

55. 자연독 식중독과 병인물질과의 연결을 정리하면?

해설 피마자씨 먹으면 씨 안에 리신이라는 독성분이 있는데, 치사량은 어른이 리친 7㎎, 리치닌 0.16g이다. 한방에서는 피마자기름을 변비 치료용 설사약으로 쓰고 있다. 한편 피마자는 아주까리라고도 불린다.

56. 독미나리에 의한 증상은?

57. 복어중독 주증상은?

58. 복어의 독력이 가장 강한 시기는?

59. Tetrodotoxin에 대한 설명 5가지는?

60. 식중독 야기시 cyanosis 유발하는 어류는?

61. 황변미 중독 성분은?

62. Aspergillus flavus에 의하여 생성된 독성 대사물은?

63. 재래메주를 이용한 된장에서 문제가 되는 독성분은?

64. aflatoxin으로 오는 중독부위는?

65. aflatoxin의 독성순서는?

66. Aflatoxin 설명 5가지는?

해설 푸른곰팡이(Pencillium spp.), 누룩곰팡이(Aspergillus spp.), 붉은곰팡이(Fusarium spp.), 털곰팡이(Mucor spp.)

정답

1 살모넬라 식중독

2 살모넬라 식중독

3 60℃, 20분

4 열에 약하다.

5 10~18시간

6 10분 이내

7 잠복기가 짧다.

8 Staphylococcus aureus

9 체외독소(exotoxin), 혐기성 상태에서 생산됨, 생성균은 clostridium botulinum, 신경계 증상, 아포는 120℃에서 4분 이상 가열하면 사멸됨

10 · Trypsin 등의 단백질 분해효소에 의해서 불활성화되지 않는다.
· 체외 독소이다.
· 면역학적 성질에 따라 A~E의 5형으로 구분된다.
· 분자량이 30,000 정도의 단백질이다.
· 식품에 생성될 때에는 내열성이 매우 커진다.

11 혐기성, 그람양성균이고 균의 아포가 A~G의 7가지 형

12 Welchii 식중독의 원인균이고, 그람양성의 아포형성 간균이며 편모가 없고 비운동성, 식중독 일으키는 균형은 A, D, F이다.

13 E형은 어류가 주 원인식품, 치사율은 30~80%, 주모성 편모가 있어 활발한 운동성

14 보툴리누스 식중독

15 보툴리누스 식중독

16 아포를 형성하며 열에 강하다.

17 Arizona균

18 Clostridium welchii

19 화학적 식중독

20 발암성 물질

21 유해보존료

22 유해표백제

23 dulcin

24 caramel

25 p-nitrotoluidine

26 Auramine

27 RhodamineB

28 formaldehyde(=HCHO)

29 formaldehyde

30 boric acid

31 rongalite

32 benzopyrene

33 식품 포장용 종이

34 요소수지

35 포름알데하이드

36 포름알데하이드

37 실명, 두통, 현기증, 구토, 설사

38 구토

39 ③

40 납

41 비소

42 비소

43 불소화합물

44 cholinestrase 저해

45 발한, 구토, 전신 경련, 오심

46 유기염소제

47 피부괴사를 주 증상으로 하며 심한 간 기능 장애 유발

48 ① ^{90}Sr(=strontium) ② ^{60}Co ③ ^{131}I(=Iodine) ④ ^{137}Cs

49 청산배당체 함유, 알칼로이드 함유, 기타배당체 함유, 성분불명인 것

50 독버섯

51 Muscarine, Neurine, Muscaridine, Choline

52 coprin

53 muscarine

54 위장장애를 일으킴

55 감자중독-sepsin, solanine, 버섯중독-coprin, muscarine, lamptero, 홍합-saxitoxin, mytilotoxin, 바지락-venerupin, 복어-Tetrodotoxin, 맥각

-Ergotoxin, 독미나리중독-cicutoxin, 청매-amygdaline, 피마자씨-ricine, 오두(烏頭=뽕나무의 열매)-aconitine, 면실유-gossypol

56 구토, 경련, 현기증, 두통

57 혀의 지각마비, 언어장애, 신경계증상, 청색증

58 5~7월

59 ① 초산 산성수에 녹는다.
② 약염기성 물질로서 물에 녹지 않는다.
③ 60% 에탄올에 약간 녹고 다른 유기용매에 녹지 않는다.
④ 일광, 열, 산에 안정하다.
⑤ 4% NaOH 용액에서 4분 정도 지나면 무독화

60 복어

61 citrinin, citreoviridin, Luteoskyrin, Islanditoxin

62 Aflatoxim

63 aflatoxin

64 간장중독

65 $B_1 > M_1 > G_1 > M_2 > B_2 > G_2$

66 ① 최적온도 25℃
② 상대 습도 80~85%
③ 기질은 탄수화물이 많은 쌀, 보리, 옥수수 등
④ 자외선에 불안정/방사선에 불안정

식품과 질병

1. 건강보균자와 불현성 감염자는 병원소이지만 식품은 병원소가 아니다 (○, ×)?

2. 식품은 병원소가 아니고 전염원에 해당된다(○, ×)?

3. 환자의 오줌으로부터 전염될 수 있는 감염병은?

4. 콜레라는 체온이 하강하고, cyanosis를 나타내며 콜레라 백신은 사균 백신이다(○, ×)?

5. 소아마비는 두통, 발열, 구토, 설사, 위장 증상이 있는 경우도 있다(○, ×)?

6. 소아마비 병원체는?

7. 유행성 간염의 병원 소는?

8. 세균성이질 설명 5가지는?

9. 아메바성 이질 설명 5가지는?

10. 리케차가 병원체인 질병은?

11. 탄저병, 돼지단독 등은 인수공통감염병으로 ( )을 일으킨다.

12. 탄저병은?

13. 야토병 관련 설명 5가지는?

14. 중간숙주 없이도 생활 가능한 기생충은?

15. 회충에 대한 설명 7가지는?

16. 기생충과 식품과의 관계를 정리하면?

17. 집단생활자들에게 많이 감염되는 기생충은?

18. 항문주위에 흰 충체를 발견할 수 있고 소양감을 일으키며 scotch tape로 검사하는 기생충은?

19. 채독증의 원인이 되는 기생충은?

해설 구충에는 십이지장충과 아메리카 구충이 있고 이들은 소위 풀독이라 부르는 피부감염을 일으켜 채독증을 일으키기도 한다.

20. 심한 빈혈, 식용부진, 피부 건조를 일으키는 기생충은?

21. 우리나라에서 감염률이 가장 높은 기생충 질병은?

22. 기생충의 중간숙주를 기생충과 중간숙주들로 나열하여 정리한다면?

23. 민물고기가 중간숙주인 것은?

24. 간 비대, 복수, 황달, 빈혈 등을 일으키는 기생충은?

25. 유충이 담도 폐쇄를 일으킬 수 있는 기생충은?

26. 폐흡충증의 제1중간 숙주는?

27. 폐흡충의 중 간숙주 중 인체에 감염될 수 있는 상태는?

28. 사람의 담관, 담낭에서도 기생하는 기생충은?

29. 요코가와 흡충의 제2중간 숙주는?

30. 제1중간 숙주가 다슬기이고 제2중간 숙주가 담수어인 기생충은?

31. 제1중간 숙주가 크릴새우이고 제2중간 숙주가 고등어, 대구, 오징어인 기생충은?

해설 제1중간 숙주와 제2중간 숙주 정리

1. 간디스토마(Clonorchis sinensis, 간흡충, chinese liver fluke)

제1중간 숙주 : 쇠우렁이, 제2중간 숙주 : 민물고기(참붕어, 잉어)

2. 폐디스토마(Paragonimus westermanii, 폐흡충, lung fluke)

제1중간 숙주 : 다슬기, 제2중간 숙주 : 민물 참게, 가재

3. 요꼬가와흡충(Metagonimus yokogawai)

제1중간 숙주 : 다슬기, 제2중간 숙주 : 은어, 잉어

4. 광절열두조충(Diphyllobothrium latum, 긴촌충, fish tape worm)

제1중간 숙주 : 물벼룩, 제2중간 숙주 : 연어, 농어 등 반담수어

5. 광절열두조충(Diphyllobothrium latum, 긴촌충, fish tape worm)

제1중간 숙주 : 물벼룩, 제2중간 숙주 : 민물고기(가물치, 메기)

6. 광절열두조충(Diphyllobothrium latum, 긴촌충, fish tape worm)

제1중간 숙주 : 새우 등 작은 갑각류, 제2중간 숙주 : 해산어류(청어, 오징어 등)

32. 우유매개성 감염병으로는?

정답

1 ○

2 ○

3 장티푸스

4 ○

5 ○

6 장 관계 바이러스이고, 항원성에 따라 I, II, III 형이 있으며, H_2O_2에 파괴된다. 또한, 유리염소를 함유한 물속에서 10분 이내에 불활성이 된다.

7 환자의 분변, 인 후부 분비물 등이다.

8 ① 그람음성 호기성이고 운동성 없으며 아포, 협막을 갖지 않는다.
② 분변 중에서 2~3일이면 사멸
③ 물 속에서 2~6일이면 사멸
④ 60℃에서 10분간 가열하면 사멸
⑤ 5% 석탄산, 승홍수에서 사멸

9 ① 원충성 질환으로 병원체는 원충
② 잠복기는 3~4주일이다.
③ 설사, 점 혈변이 주증상
④ 원충은 저항력이 약해서 배출된 후 12시간 이내 죽는다.
⑤ 물속에서 1개월 정도 생존

10 Q열

11 패혈증

12 동물에서 동물로 비말 감염한다.

13 ① 오한, 전율, 발열
② 응집반응, 피내반응으로 진단할 수 있다.
③ 균이 침입된 피부는 농포가 생긴다.

④ 국소 임파선이 붓는다.

⑤ 눈에 침입하여 눈의 악성 결막염을 일으킨다.

14 회충

15 ① 장내 군거생활

② 유충은 심장, 폐포, 기관지 통과

③ 충란은 여름철에 자연 건조에서 2주일 정도 후면 인체 감염력을 갖는다.

④ 충란은 70℃의 가열로 사멸한다.

⑤ 성충은 암수구별이 가능하지만 충란은 불가능

⑥ 인체 감염 후 75일이면 성충이 된다.

⑦ 일광에 약하다.

16 · 무구조충(민촌충)-쇠고기

· 유구조충(갈고리촌충)-돼지고기

· 선모충 - 돼지고기

· 톡소플라스마-원숭이, 돼지, 고양이 등

· 회충, 십이지장충, 동양모양선충, 편충-채소류

17 요충

18 요충

19 십이지장충(구충)

20 십이지장충

21 간흡충증(간디스토마)

22 · 간 디스토마 : 제1중간 숙주 → 왜우렁, 제2중간 숙주 → 민물고기(붕어, 잉어, 모래무치)

· 폐 디스토마 : 제1중간 숙주 → 다슬기, 제2중간 숙주 → 가재, 게

· 광절 열두조충 : 제1중간 숙주 → 물벼룩, 제2중간 숙주 → 민물고기(농어, 연어, 숭어)

· 무구조충 : 중간 숙주 → 소

· 유구조충 : 중간 숙주 → 돼지

23 간디스토마, 광절 열두 조충

24 간디스토마

25 간디스토마
26 다슬기
27 피낭유충
28 광절 열두 조충
29 은어
30 요코가와 흡충
31 아니사키스
32 결핵, 세균성 이질, 파라티푸스, Typhoid fever 등

환경오염과 식품 위생

1. 먹이연쇄 현상과 질병의 연결을 정리하면?
2. 자연계 환경오염물질이 식품을 통해 인체에 이행되는 것은?

   해설 카드뮴의 중독은 생물농축에 의한 것이므로 화학조미료와는 관계가 없다.

3. 카드뮴의 중독과 관계있는 것으로는?
4. 만성중독으로 체내에 칼슘이 증가되고 결국 골연화증을 일으키는 질병은?
5. 이타이이타이 질환은?
6. 어패류에 축적되어 사지마비를 일으키는 질환은?
7. 미나마타 질환의 증상은?

   해설 신장장애는 미나마타 질환의 증상이 아니다.

8. 미나마타병의 원인물질인 수은은 무기수은이 수중에서 어떤 것에 의해 유기수은으로 전환되는가?

   해설 무기수은이 혐기성 미생물에 의해 유기수은으로 전환되어 미나마타병을 유발

9. 농약성분에서 유래되어 식품에 오염될 수 있는 중금속은?

10. PCB 오염으로 인한 가네미유 증의 대표적인 4대 증상은?

해설 발이 떨리는 것은 미나마타병의 증상임에 주의할 것

11. 어류에 대한 치사량 구하는 단위는?

12. 잔류성과 축적성이 높은 농약은?

13. 식품 잔류 항생물질도 급, 만성 독성을 일으키고 알레르기를 일으키기도 한다(○, ×)?

14. 생물 농축이 잘 되는 것으로는?

해설 DDT(dichloro-diphenyl-trichloroethane)

15. 생물 농축이 잘 안 되는 것은?

해설 ABS(alkylbenzene sulfonate)는 합성세제의 일종

16. 먹이연쇄에 크게 관여하지 않는 것은?

17. 방사능 오염 허용기준의 단위는?

해설 방사선조사선량 단위임

정답

1
- Hg-미나마타 질환
- Cd-이타이이타이 질환
- PCB-가네미유증
- BHC(Benzene Hexa Chloride, 유기염소계살충제)-호흡장애, 순환기장애, 신경장애
- Cd, F-뼈에 이상

2 먹이연쇄

3 음용수, 기구, 용기류, 곡물류, 어패류 등이 될 수 있다.

4 이타이이타이병

5 신장장애(신장이나 간에 축적되므로)
6 미나마타병(중추신경 말초신경 마비 유발)
7 언어장애, 구심 성 시야협착, 지각 이상, 운동장애
8 미생물
9 수은
10 ① 눈에 눈꼽이 낌
② 얼굴에 습진 모양의 발진이 생김
③ 손바닥에 땀이 남
④ 손톱이 변색됨
11 TLm(Tolerance Limit median)
12 유기 염소계 농약
13 ○
14 PCB, DDT, Pb, Hg 등
15 ABS
16 사람
17 KGy

식품 첨가물

1. 식품첨가물의 분류 7가지는?
2. 산화방지제는 식품 중 유지의 산화를 억제해 어떤 화합물 생성을 억제하나?
3. 산화방지제의 종류에는?
4. 에리 소르빈산 나트륨의 식품 첨가물 용도는?
5. 밀가루 개량제의 목적과 종류는?
6. 표백제로 많이 사용하는 화학물질 4가지는?

7. 인체에 독성이 심하여 사용이 금지된 표백제로 최종식품 완성 전에 분해 또는 제거하는 조건으로 사용이 가능한 것은?

8. 식품첨가물에 대한 내용 설명 5가지는?

해설 방식품첨가물 ⇨ 치즈 버터 마가린에 쓰는 보존료에는 데히드로초산(DHA)이 있고, 청량음료, 간장, 식초 등에 쓰는 보존료에는 안식향산이 있으며, 단무지, 캔디, 스넥, 빙과류 등에는 식용색소인 황색 제4호가 쓰이고, 식육제품, 어육소시지, 햄 등에는 발색제의 종류 중 하나인 아질산나트륨이 쓰인다. 캔디 및 스넥, 빙과류에는 착향료가 쓰이며, 빵, 과자 등에는 팽창제가 쓰인다.

9. 육류발색제로 사용되는 아질산염의 작용기전은?

10. 야채절임에 사용이 허용된 발색제는?

11. 발색제에 대한 설명 4가지는?

12. 아질산나트륨, 황산제1철의 식품첨가물로서의 용도는?

해설 착색제가 아님에 주의

13. 알사탕에 사용할 수 없는 타르색소는?

해설 식용 타르색소에는 녹색제3호, 적색2, 3, 40호, 황색4, 5호, 청색1, 2호 등

14. 간장 등을 양조할 때 가장 흔히 쓰이는 착색색소는?

15. 타르색소를 사용할 수 없는 식품류는?

해설 면류, 단무지, 천연 식품, 건강 보조 식품, 유산균음료, 식육, 어육가공품, 과. 채가공품, 젓갈류 등

16. 식용 타르색소의 사용이 허가된 식품은?

17. 타르색소 가운데 식품첨가물로 사용이 금지되어 있는 것은?

18. 타르색소 사용 제한의 대표적 이유는?

19. 타르계 허용색소로는?

20. 다음 타르색소 중 식품 첨가물로 허용되어 있지 않은 품목은?

① sunset yellow ② rhodamine ③ erythrosin
④ fast green ⑤ indigocarmine

21. 합성착색료 중 독성이 있음에도 불구하고 색이 선명하고 사용하기가 간편하여 잘못 사용하는 곳이 있는데 여기에 속하지 않는 물질은?

① sunset yellow ② rhodamineB ③ auramine
④ nitroaniline ⑤ silk scarlet

22. 첨가가 허용된 착색료는?

① auramine ② butter yellow ③ rhodamineB
④ nitroaniline ⑤ erythrosin

23. 알루미늄 레이크는 색소와 특수 알루미늄염이 결합된 분말인데 장점은?

24. 식품에 첨가가 허용되어 있는 식용색소는?

① 염기성 타르색소 ② 염기성 유용성 타르색소
③ 산성 수용성 타르색소 ④ 산성유용성 타르색소
⑤ 중성 수용성 타르색소

해설 염기성은 독성을 나타낸다.

25. 마가린, 치즈 등에 사용이 가능한 착색료는?

해설 베타 캐로틴은 가장 이상적인 착색료이며 천연식품을 제외한 마가린, 치즈, 버터, 식용유, 아이스크림 등에 황색착색료로 사용한다.

26. 착색료 중에서 사용이 금지된 것은?

① 쿨쿠민 ② 동클로르필린나트륨 ③ 수용성안나토
④ 수산화철 ⑤ 캐러멜

해설 단무지에는 색소가 허용되어 있지 않다.

27. 보존료의 이상적인 조건 4가지는?

28. 산형보존료의 효과는?

29. 안식향산과 같은 산형보존료가 산성영역에서 보존효과가 증대하는 이유는?

30. 사용할 수 없는 보존료는?

① 에틸안식향산
② 디히드로초산
③ 솔빈산
④ 메틸안식향산 에스텔
⑤ 프로피온산 나트륨

31. 채소류 음료에 쓰이는 보존료는?

해설 프로피온산은 빵, 생과자에 사용하고, 소르빈산은 식육, 된장, 고추장, 케찹에 사용

32. 치즈, 버터에 사용하는 보존료는?

33. 주류에 사용되는 보존료는?

34. 소르빈산 및 그 염류를 보존료로 사용할 수 없는 식품은?

① 식육제품
② 된장, 고추장류
③ 면류
④ 야채, 과일 절임류
⑤ 젖산균 음료

35. 살균력은 약하지만 곰팡이의 발육저지 작용이 강한 보존료는?

36. 인화성 유화제로 사용하고, 호료로도 사용하는 것은?

37. 허가받은 양 이하로 사카린 나트륨을 사용할 수 있는 식품에는?

38. Metyl p-oxybenzoic acid는 식품첨가물로 허용되어 있지 않다. 그 이유는?

39. 유화제로 허용 품목이 아닌 것은?

① 지방산 에스테르
② 프로필렌글리콜
③ 대두인지질
④ 폴리소르베이트
⑤ 알긴산나트륨

40. 산미료에는?

41. 규소수지는?

42. 차아염소산은?

해설 식품 개량제임, 식품 가공상의 문제를 해결하고 더 좋은 가공식품을 만들기 위하

여 사용하는 첨가물, 예) 제빵 개량제

43. 유현탁제인 것은?

해설 액상수화제의 부착력과 유제의 친수성을 증진하는 특성을 갖게 해 주는 제제

44. 최종식품의 완성 전에 제거해야 하는 품목은?

45. 추출제로 식품에 사용이 허가된 n-hexane의 허가사항은?

46. 글리시리친산2 나트륨 첨가가 허용된 식품은?

47. 사이클라민산 나트륨은 사용이 금지된 (　　　)인가?

48. 아이스크림, 젤리, 잼 등에 첨가되는 메틸셀룰로오스, 카르복시메틸셀루로오스의 사용 목적은?

49. 과실이나 야채류의 피막제로 사용 가능한 식품 첨가물은?

50. 피페로닐부톡시이드의 식품첨가물로서의 용도는?

51. 껌에 첨가할 수 있는 품목이 아닌 것은?

① 실리콘 수지　② 초산비닐수지　③ 에스텔껌
④ 폴리부텐　⑤ 폴리이소부틸렌

해설 실리콘수지(규산수지)는 소포의 목적 외에는 쓸 수 없다(소포제).

52. 아미노산, 무기질 등의 식품첨가물로서의 용도는?

53. 염화암모늄, 명반, 중탄산나트륨의 용도는?

54. 두부에 사용되는 응고제는?

정답

1 보존료, 착색제, 소포제, 합성팽창제, 산화방지제, 발색제, 감미료 등

2 과산화물, aldehyde

3 · BHA(Butyl Hydroxy Anisole)

· Propyl gallate, Tocopherol,

· BHT(Dibutyl Hydroxy Toluene)

4 어육의 산화방지, 변색방지

5 · 표백과 숙성기간 단축시키고 제빵 효과의 저해물질을 파괴시켜 개량하는 목적 사용

· 스테아릴젖산, 과산화벤조일, 브롬산칼슘, 이산화염소

6 메타중아황산칼륨, 아황산나트륨, 무수아황산, 과산화수소

7 과산화수소

8 ① 병 포장식품에 합성 착색료가 첨가되었을 때는 그 표시를 하여야 한다.

② 합성 착색료는 착향의 목적이다.

③ 각 식품에 따라 사용기준이 다르다.

④ L-글루타민산 나트륨에는 사용기준이 없다.

⑤ 사카린 나트륨에는 허용기준이 있다.

9 혈액 중의 hemoglobin과 반응하여 nitrohemoglobin을 형성

10 황산 제1철

11 ① 첨가물 자체는 색이 없다.

② 식품 자체의 색조를 안정화시킨다.

③ 육류발색제로는 아질산 염 등이 있다.

④ 야채류에는 황산 제1철이 사용된다.

12 발색제

13 자색1호

14 caramel

15 버터, 마가린

16 사탕류, 분말청량음료 등

17 등색 1, 2호

18 식품자체의 천연의 색상을 위조할 목적으로 사용될 수 있기 때문에

19 tartrazine(황색4호), amaranth(적색2호), alura red(적색40호), indigocarmine (청색2호) 등

20 ②

21 ①

22 ⑤

23 내광성, 내열성이 좋다는 점

24 ③

25 β-carotene(베타 캐로틴)

26 ④

27 ① 무취이고 상품에 따라 변화를 받지 않을 것
② 미량으로 효력 있고 내열성이며 사용이 쉬울 것
③ 위생상 무해하든지 독성이 작을 것
④ 식품에 변화를 주지 말 것

28 pH가 낮을수록 보존효과는 증대한다.

29 산성에서 비 해리 분자가 증대되므로

30 ④

31 안식향산나트륨

32 DHA(dehydroacetic acid, 천연 불포화 지방산)

33 파라옥시안식향부틸(butyl P-hydroxybenzoate)

34 ③

35 소르빈산

36 프로필렌글리콜

37 절임류(김치류 제외), 어육 가공품, 청량 음료(유산균음료 제외), 특수영양 식품(이유식 제외)

38 체내에서 분해되어 Methyl alcohol을 생성하기 때문이다.

39 ⑤

40 젖산, 구연산, 초산, 이산화탄소

41 소포제(거품제거제)

42 개량제

43 허용타르색소의 알루미늄레이크

44 NaOH, HCl

45 식용유지의 제조시에 유지추출용에 한해 허가

46 간장, 된장

47 감미료

48 점도를 높이기 위해서

49 몰포린 지방산염

50 곡류방충제

51 ①

52 영양 강화제

53 과자류, 빵의 팽창제

54 염화칼슘

선별 문제

01. Water activity(Aw)에 대한 설명 중 틀린 것은?

① 밀폐 용기 내 수증기압과 최대증기압의 비로 표시

② 미생물이 이용할 수 있는 수분을 나타낸 것

③ 일반세균의 증식 가능 Aw는 0.96 이상

④ 효모의 증식 가능 Aw는 0.88 이상

⑤ 곰팡이의 증식 가능 Aw는 0.90

해설 0.81이다.

02. 자외선에 대한 설명으로 잘못된 것은?

① 피부점막에 장애

② 물체 내부에까지 깊은 투과력을 갖지 못함

③ 가장 살균력이 있는 파장은 2850~3100Å

④ 15W 살균 등의 경우 20cm 직하에서 대장균이 1분 이내에 사멸

⑤ 가시광선보다 파장이 짧다.

해설 2400~2800 혹은 2500~2900Å이다.

03. 자외선 살균에 대한 설명 중 바르지 못한 것은?

① 식품의 품질에 영향을 거의 미치지 못한다.

② 취급이 쉽고 식품의 심부까지 살균한다.

③ 실내공기, 각종 음료수 등의 살균에 이용된다.

④ 식품의 뒷부분이나 내부에는 효과 없다.

⑤ 2600Å 부근에서 살균 작용이 강하다.

해설 뒷부분이나 내부에는 효과가 없다.

04. Tetrodotoxin에 관한 설명으로 잘못된 것은?

① 초산 산성수에 녹는다.

② 약염기성 물질로서 물에 녹지 않는다.

③ 60% 에탄올에 약간 녹고 다른 유기용매에 녹지 않는다.

④ 일광, 열, 산에 안정하다.

⑤ 4% NaOH 용액에서 10분 정도 지나도 유독하다.

해설 4분 정도 지나면 무독화

05. 방사선 조사에 대한 설명 중 바르지 못한 것은?

① 60Co-γ선, 137Cs-γ선, 90Sr-γ선 등이 이용된다.

② 동위원소에서 방사되는 전리방사선을 식품에 조사하여 미생물을 살균하는 방법이다.

③ 투과력이 약하기 때문에 식품의 심부까지 살균할 수 없다.

④ 살균, 살충, 생육억제, 품질개량 등의 목적으로 이용된다.

⑤ 안정성을 비롯한 여러 가지 문제점이 남아있다.

⑥ 온도상승 없이 이른 바 냉살균 가능

⑦ 대량처리가 가능하다.

해설 심부까지 살균 가능

06. Aflatoxin 생산의 최적 조건에 대해 틀린 것은?

① 온도가 15℃ 이하

② 상대 습도 80~85%

③ 기질은 탄수화물이 많은 쌀, 보리, 옥수수 등

④ 자외선에 불안정

⑤ 방사선에 불안정

해설 최적온도 25℃

07. 세균성이질균에 대한 설명 중 틀린 것은?

① 그람음성 호기성이고 운동성이 없으며 아포, 협막을 갖는다.

② 분변 중에서 2~3일이면 사멸

③ 물속에서 2~6일이면 사멸

④ 60℃에서 10분간 가열하면 사멸

⑤ 5% 석탄산, 승홍수에서 사멸

해설 아포와 협막을 갖지 않는다.

08. 아메바성 이질에 대해 틀린 것은?

① 원충성 질환으로 병원체는 원충

② 잠복기는 보통 3~4시간

③ 설사, 점 혈변이 주증상

④ 원충은 저항력이 약해서 배출된 후 12시간 이내 죽는다.

⑤ 물속에서 1개월 정도 생존

해설 잠복기는 3~4주일이다.

09. 야토병 증상이 아닌 것은?

① 오한, 전율, 발열

② 응집반응, 피내반응으로 진단할 수 없다.

③ 균이 침입된 피부는 농포가 생긴다.

④ 국소 임파선이 붓는다.

⑤ 눈에 침입하여 악성 결막염을 일으킨다.

해설 응집반응, 피내반응으로 진단할 수 있다.

10. 회충에 대해 틀린 것은?

① 장내 군거생활

② 유충은 심장, 폐포, 기관지 통과

③ 충란은 산란과 동시에 인체 감염력을 갖는다.

④ 충란은 70℃의 가열로 사멸한다.

⑤ 성충은 암수구별이 가능하지만 충란은 불가능

⑥ 인체 감염 후 75일이면 성충이 된다.

⑦ 일광에 약하다.

해설 충란은 여름철에 자연건조에서 2주일 정도 후면 인체에 감염력을 갖는다.

11. 식품 첨가물에 대해 틀린 것은?

① 병 포장식품에 합성 착색료가 첨가되었을 때는 그 표시를 하여야 한다.

② 합성착색료는 착향의 목적이면 어떤 식품이든 사용이 가능하다.

③ L-글루타민산 나트륨에는 사용기준이 없다.

④ 사카린 나트륨에는 허용기준이 있다.

해설 각 식품에 따라 사용기준이 다르다.

12. 식품에 첨가하는 발색제에 대해 잘못된 것은?

① 첨가물 자체는 색이 없다.

② 식품자체의 색조를 안정화시킨다.

③ 육류발색제로는 아질산 염 등이 있다.

④ 야채류에는 황산 제1철이 사용된다.

⑤ 식품을 염색하는 효과를 갖는다.

해설 염색 아니고 발색임

13. 보존료의 이상적인 요건이 아닌 것은?

① 식품 액성에 따라 작용이 선택적일 것

② 무취이고 상품에 따라 변화를 받지 않을 것

③ 미량으로 효력 있고 내열성이며 사용이 쉬울 것

④ 위생상 무해하든지 독성이 작을 것

⑤ 식품에 변화를 주지 말 것

해설 선택적이지 않아야 한다.

14. 다음 중 저온살균법은?

① 63~65℃에서 30분간 살균

② 63~65℃에서 15분간 살균

③ 72~75℃에서 15초간 살균

④ 72~75℃에서 30초간 살균

⑤ 135℃에서 2~4초간 살균

해설 우유의 살균방법에는 다음과 같이 세 가지 방법이 있는데 저온살균법은 63~65℃에서 30분간 살균하는 것이고, 고온살균법은 72~75℃에서 15초간 살균하는 것이며, 초고온순간살균법은 135℃에서 2~4초간 살균하는 것이다. 저온살균법은 프랑스의 세균학자가 포도주의 살균방법으로 발견한 후 우유에 적용되어진 가장 오래된 살균방법이며 초고온 살균은 우유 중의 영양소 파괴와 화학적 변화를 최소화시킨 방법으로 현재 국내외에서 가장 많이 이용하는 살균법이다.

15. 우유 검사 항목이 아닌 것은?

① 관능검사

② 비중 검사

③ 체세포수 검사

④ 염기도 시험

⑤ 포스파타아제 시험

해설 우유 검사 항목에는 관능검사, 진애시험, 자비시험(clot-on-boiling test), 알코올 침전시험, 산도시험(Acidity test), 포스파타아제 시험 (Phosphatase test), 비중 검사(lactometer test), 가수 시험, 우유 성분 검사, 세균수 검사, 체세포수 검사, 항균물질 검사 등이 있다.

16. 우유 검사의 판정기준이 아닌 것은?

① 관능검사 : 10ml 정도를 취하여 우유의 색, 맛, 향, 응고물의 유무 등을 확인
② 진애시험 : 원유에 함유된 오물 즉, 쇠똥, 피모, 흙, 곤충 등의 혼입 여부를 확인
③ 자비시험 : 10ml를 알코올 램프로 서서히 가열하여 끓인 후 응고여부를 확인
④ 알코올 침전시험 : 2ml를 70% 에탄올 동량과 혼합한 후 응집여부를 확인
⑤ 체세포수 시험 : 액체크로마토그라프를 이용 확인

해설 체세포수 검사는 현미경으로 확인하며, 액체크로마토그라프(HPLC)는 항균물질 검사에 이용한다.

17. 차아염소산나트륨은 식품에서 어떤 용도로 사용하나?

① 살균제 ② 탈취제 ③ 구충제 ④ 향미제 ⑤ 산화방지제

해설 차아염소산나트륨(Sodium Hypochlorite)은 식품의 부패균이나 병원균을 사멸하기 위하여 살균제로서 사용되는데, 음료수, 채소 및 과일, 용기·기구·식기 등에 사용된다.

18. 곰팡이 독에 의한 대표적인 식중독 원인물질은?

① 복어독 ② 황변미독 ③ 감자독 ④ 보툴리누스독 ⑤ 삭시톡신

해설 진균류는 쌀·땅콩을 비롯한 탄수화물이 풍부한 농산물이나 곡류에서 잘 번식하며, 특히 한국의 메주에서는 진균독의 일종인 아플라톡신(aflatoxin)이, 변질미에서는 황변미독(penicillium)이 검출된다.

19. 그레이아노톡신이라는 독성 물질이 있어 식용으로 이용이 불가능한 꽃은?

① 진달래 꽃 ② 국화 꽃 ③ 아카시아 꽃 ④ 철쭉꽃 ⑤ 꽃무릇

해설
- 먹는 꽃 : 진달래꽃, 국화, 아카시아, 동백, 호박, 매화, 복숭아꽃, 살구꽃
- 못 먹는 꽃 : 철쭉꽃, 은방울꽃, 디기탈리스, 동의나물, 애기 똥 풀 꽃, 삿갓나물 꽃
- 꽃 무릇은 식용으로 이용은 가능하지만 독초라 위험하고, 철쭉꽃은 그레이아노톡신이라는 독성 물질이 있어 식용으로 부적절하다.

20. 다음 중 허용되지 않은 식품첨가물은?

① 아질산나트륨 ② 둘신 ③ 소르빈산 ④ 아황산나트륨 ⑤ 인산염

해설 둘신(dulcin)은 감미도가 수크로오스(sucrose)의 약 250배이고, 인공감미료로서 사용이 허가되었으나, 간에서 종양이 발견, 최근에는 사용이 금지되었다.

[식품첨가물의 종류]

용 도	대표적 첨가물	용 도	대표적 첨가물
보 존 료	소르빈산, 안식향산, 파라옥시 안식향산 등	산 미 료	구연산, 빙초산 등
살 균 제	차아염소산나트륨, 표백분 등	감 미 료	아스파탐 등
산화방지제	부틸히드록시아니졸(BHA), 부틸히드록시톨류엔(BHT) 등	착 향 료	바닐린, 락톤류 등
착 색 제	식용색소, 녹색 제3호 등	팽 창 제	명반, D-주석산수소칼륨 등
발 색 제	아질산나트륨, 질산칼륨 등	강 화 제	비타민류, 아미노산류 등
표 백 제	아황산나트륨	유 화 제	아황산나트륨, 글리세린지방산, 에스테르 등
밀 가 루 개 량 제	과산화벤조일, 과황산암모늄	호 료	구아검
조 미 료	아미노산계, 핵산계 등	품질개량제 (결착제)	인산염, 중합인산염 등
피 막 제	몰포린 지방산염, 초산비닐수지	이 형 제	유동파라핀
소 포 제	규소수지	추 출 제	n-헥산

정답

1	2	3	4	5
⑤	③	②	⑤	③
6	7	8	9	10
①	①	②	②	③
11	12	13	14	15
②	⑤	①	①	④
16	17	18	19	20
⑤	①	②	④	②

4. 위생곤충학

위생 해충

1. 곤충의 일반적인 특징은?

2. 날개가 존재하는 곳은?

3. 거미강에 속하는 것은?

4. 곤충강에 속하는 것은?

5. 4쌍의 다리를 갖는 위생해충은?

6. 반시목(노린재목)은?

해설 노린재목(=반시목, 半翅목), 벼룩목(=은시목, 隱翅목), 파리목(=쌍시목, 雙翅목)/벌, 벼룩, 파리, 나비, 모기, 독나방 등은 완전변태

7. 혈임파구액의 기능 4가지는?

해설 생식기능은 아님

8. 가장 긴 촉각을 갖고 있는 것은?

9. 빈대(Bed bug)의 생활사와 습성 4가지는?

10. 빈대의 베레제 기관(Berlese organ)의 역할은?

해설 암컷의 특유한 생식기관임, 빈대의 베레제 기관의 역할은 정자를 일시 보관하는 장소로 암컷에만 존재한다.

11. 단각아목과 장각아목의 특징은?

12. 모기의 촉각과 주둥이 사이에 있는 것은?

13. 모기 유충의 생태 특징 4가지는?

14. 모기번데기의 속 분류에 이용되는 것은?

해설 수서식물의 뿌리에 부착한 대로 식물로부터 산소를 받는 부위

15. 모기유충의 흉부에 존재하며 분류학적으로 중요한 털은?

16. 모기번데기의 종 분류에 이용되는 것은?

17. 번데기에서 성충이 되는 발육과정을 무엇이라 하나?

18. 곤충의 기문은 어디에 있나?

19. 모기의 암컷은 흡혈 후 휴식이 필요하다. 그 기간은?

20. 숲 모기의 월동형태는?

21. 학질모기의 월동형태는?

22. 뇌염모기의 월동형태는?

23. 독나방의 발생(우화)시기는?

24. 뇌염모기는?

25. 학질모기는?

26. 작은 빨간 집모기(뇌염모기) 성충의 특징 5가지는?

27. 작은 빨간 집모기(뇌염모기)의 유충의 특징 5가지는?

28. 복절배판에 장상모(수면에서 수평으로 뜨게 하는 역할을 함)를 갖고 있는 모기유충은?

29. 모기 유충에서 즐치가 있는 곳은?

30. 부낭을 갖고 있는 모기의 알은?

31. 유충의 각 체절에 육질돌기가 있는 곤충은?

32. 금파리는 검정파리과에 속하고 침파리는 집파리과에 속한다(○, ×)?

33. 곤충의 체벽(표피) 가장 외부층은?

34. 트리아토민 노린재 매개는?

해설 아프리카수면병→체체파리, 흡혈노린재→아메리카수면병

35. 곤충의 파악기 위치는?

36. 유충과 성충의 서식처가 다른 곳은?

37. 빛을 싫어하는 곤충은?

해설 바퀴와 빈대는 야행성 곤충임

38. 학질모기가 말라리아를 전파시킨다는 사실을 밝힌 사람은?

39. 황열을 Aedes aegypti가 전파시킨다는 것을 입증한 사람은?

40. 이가 발진티푸스를 전파시킨다는 것을 입증한 사람은?

41. 벼룩이 흑사병을 전파시킨다는 것을 입증한 사람은?

해설 • Ross : 모기, 말라리아 • Reed : 모기, 황열 • Nicoll : 이, 발진티푸스
• Simond : 벼룩, 흑사병

42. 생물학적 전파 관련하여 위생곤충의 이름들과 전파형태들을 정리하면?

43. 뉴슨스로 취급되는 대표적인 것은?

44. 해충 구제방법 중 근본적이고 영구적인 방법은?

45. 불완전변태의 발육 단계는?

46. 번데기시기를 활발하게 운동하는 종류는?

47. 곤충의 발육에 관한 설명 5가지는?

48. 곤충분류의 말단단계는?

49. 빈대는 무슨 목(目)인가?

50. 등애는 무슨 목(目)인가?

51. 완전변태를 하지만 날개가 없는 곤충은?

52. 저작형 구기를 갖고 있는 곤충은?

53. 모기가 파리목의 다른 곤충과 다른 점은?

54. 곤충 피부 중 내수성 담당위치는?

55. 곤충 다리 부절에 붙은 욕반(pulvilli)은?

56. 곤충의 가슴은 몇 개의 환절로 이루어져 있나?

57. 진피와 체강 간에 경계를 이루고 있는 층은?

58. 날개의 흔적기관으로 균형 유지하는 것은?

59. 흡수형 구기의 대표적인 위생곤충은?

60. 저작형 구기 의 대표적인 위생곤충은?

61. 스폰지형 구기의 대표적인 위생곤충은?

62. 먹이의 소화 작용 부위는?

63. 곤충의 말피기씨관 설명 5가지는?

64. 곤충의 순환계 설명 5가지는?

65. 날개가 한 쌍인 곤충은?

해설 벼룩-은시목, 파리-쌍시목, 바퀴-바퀴목, 빈대-노린재목(반시목)

66. 우리나라 전국적으로 분포하는 바퀴는?

해설 우리나라에서 제일 많아서 전국적으로 분포하고 있는 바퀴벌레는 독일바퀴(Blattella germanica)이다.

67. 대형바퀴는?

68. 가슴부위에 현저한 황색무늬이고 가운데는 거의 흑색인 것은?

69. 바퀴의 서식장소는?

70. 독일바퀴는 일생동안 몇 회의 난협(알주머니)을 생산하는가?

71. 주가성 바퀴의 특징은?

해설 야간 활동성이고 주간 활동성이 아님

72. 독일바퀴의 특성 5가지는?

73. 바퀴의 다리형은?

74. 빈대의 발육기간은?

75. 빈대는?

76. 빈대 구제 시 효과적인 방법은?

77. 트리아토민 노린재 설명 5가지는?

78. 이의 총 발육기간은?

79. 트리아민 노린재 매개는?

80. 이의 자충은 몇 회 탈피하는가?

81. 이가 한번 섭취하는 피의 양은?

82. 이에 대한 설명 5가지는?

83. 몸이는 하루 몇 회 흡혈하는가?

84. 발진티푸스는 어느 계절 많이 발생하는가?

85. 이가 매개하는 재귀열은?

86. 벼룩 알의 부화기간은?

87. 벼룩이 알을 낳는 장소는?

해설 숙주동물의 몸에는 알을 낳지 않는다.

88. 벼룩을 공중 보건상 중요하게 생각하는 이유 4가지는?

89. 열대쥐벼룩은?

90. 벼룩의 유충은?

91. 이의 자충은?

92. 벼룩의 구부에서 소악의 기능은?

93. 벼룩이 옮기는 감염병은?

94. 벼룩의 특성과 습성은?

95. 숲모기 속의 알은?

96. 늪모기 속 유충은?

97. 일본뇌염모기가 가장 활발히 활동하는 시간은?

98. 숲모기 체내에서 사상충 유충이 발육하는 기간은?

99. 모기가 알에서 성충까지 발육하는데 필요한 발육기간은?

100. 학질모기속의 유충의 특징 4가지는?

해설 학질모기속 유충은 수면에 평행으로 뜨고 보통모기속 유충은 각도를 갖고 매달린다. 모기, 알에서 성충까지 발육기간 : 2주, 벼룩유충 발육기간 : 2주, 숲모기의 사상충 유충 발육기간 : 9~12일, 사람의 이의 발육 기간 : 15~16일

101. 모기 천적은?

102. 흡혈하는 모기는?

103. 흡혈하지 않는 모기는?

104. 모기의 유충은?

105. 이의 자충은?

106. 벼룩유충은?

107. 우리나라 말라리아 매개모기는?

108. 토고 숲모기의 유충 서식장소는?

109. 모기가 옮기는 질병은?

해설 발진열은 벼룩이 옮기는 질병임

110. 모기는 지상 몇 m에서 군무를 하는가?

해설 집모기속(Culex)은 군무현상이 있고 숲모기 속은 군무현상이 없다.

111. 장상모(palmate hair)의 역할은?

112. 우리나라 유행 말라리아는 어느 종인가?

113. 모기는 일조시간이 몇 시간일 때 월동준비를 하는가?

114. 모기에서 Diapause란?

115. 유생생식을 하는 파리는?

116. 집파리에 의한 질병 전파되는 경우 4가지는?

해설 '날개를 서로 부벼서'는 정답이 아님, 침파리가 흡혈형이고 집파리는 흡수형이다.

117. 파리의 평균수명은?

118. 등에의 습성 5가지는?

119. 등에 모기가 옮기는 질병은?

120. 위생해충과 질병연결을 정리하면?

121. 위생해충과 평균수명을 정리하면?

122. 깔따구에 대한 설명 5가지는?

123. 독나방 설명 5가지는?

124. 털 진드기는 어느 시기에 포유 동물 흡혈하나요?

125. 여드름 진드기는 사람 피부 가운데 특히 어느 부위 기생하나요?

126. 참진드기 매개 질병 5가지는?

127. 후기문아목에 속하는 진드기는?

128. 3숙주 진드기 4가지는?

해설 소 진드기속은 3숙주 진드기가 아님

129. 먼지 진드기 설명 5가지는?

정답

1 머리, 가슴, 배의 3등분, 1쌍의 촉각, 3쌍의 다리
2 가슴
3 진드기
4 노린재, 바퀴, 매미, 이, 벌, 파리, 벼룩, 나비
5 진드기 성충
6 불완전변태 → 빈대
7 영양분을 조직에 공급, 노폐물운반, 체내수분유지, 조직세포에 산소공급
8 모기
9 ① 자충은 5령기를 거쳐 성충이 된다.
② 자충의 시기에도 흡혈한다.
③ 주로 야간에 활동한다.
④ 자충은 5회 탈피한다.
10 생식기관(정자를 일시 보관하는 장소임)
11 촉각
12 촉수(촉빈)
13 ① 수서생활 ② 4령 기를 거침 ③ 번데기는 운동성 ④ 유기물 섭취
14 호흡각
15 견모(肩毛)
16 유영편
17 우화(羽化)
18 가슴과 배
19 2~3일
20 알
21 성충
22 성충

23 7월 중순~8월 상순

24 집모기 속

25 얼룩날개모기 속

26 ① 크기가 4.5mm 정도

② 암갈색을 띤다.

③ 주둥이에는 흰 띠가 있다.

④ 각 복절 기부에 흰 띠가 있다.

⑤ 순판에 특별한 무늬가 없다.

27 ① 흉부에 있는 견모는 모두 단모이다.

② 호흡관이 가늘고 길다.

③ 즐치는 11~14개이다.

④ 측즐은 30~40개가 있고 끝이 뭉툭

⑤ 호흡관모는 아복측부에 5쌍, 측부에 1쌍 있다.

28 얼룩날개모기(학질모기)

29 복부의 미절

30 얼룩날개모기(학질모기)

31 아기집파리

32 ○

33 왁스층

34 아메리카 수면병

35 복부말단

36 모기

37 바퀴와 빈대

38 Ross

39 Walter Reed

40 Nicoll

41 Simond

42 ① 작은 빨간 집모기 - 일본뇌염 - 증식형

② 중국 얼룩날개모기 - 말라리아 - 발육 증식형

③ 토고 모기 - 사상충증 - 발육형

④ 진드기 - 양충병 - 경란형

⑤ 수면병은 발육 증식형

⑥ 로아 사상충은 발육형

⑦ 장티푸스는 기계적 전파

⑧ 양충병은 경란형

⑨ 증식형에는 재귀열, 뇌염, 발진열, 흑사병

43 깔따구

44 환경적 방법

45 알-자충-성충

46 모기

47 ① 알에서 유충으로 부화한다.

② 유충에서 번데기까지 보통 2회 이상 탈피한다.

③ 일단, 성충이 되면 크기는 더 이상 변하지 않음

④ 번데기가 성충으로 우화한다.

⑤ 유충의 각 탈피과정 사이를 령기라고 한다.

48 종(種)

49 노린재목(반시목)→빈대, 노린재

50 쌍시목(파리목)

51 은시목("은시"는 벼룩을 한자로 쓴 것임)

52 바퀴

53 길게 돌출한 주둥이가 있다.

54 납층(왁스층)

55 매끄러운 표면 걸을 때 도움 줌

56 3개

57 기저막

58 평형곤(평균곤)

59 벼룩

60 바퀴

61 집파리

62 중장(mid gut)

63 ① 탄산염, 염소, 인, 염 등의 노폐물을 여과시킨다.
② 곤충에 따라 1~150개로 차이가 있다.
③ 수가 많은 것은 길이가 짧다.
④ 체강 내에 부유하고 있다.
⑤ 중장과 후장 사이에 연결되어 있다.

64 ① 대동맥이 있다.
② 혈액은 엷은 담홍색, 담록색, 무색임
③ 심장은 보통 9개로 되어 있다.
④ 혈림프액은 주로 영양분의 각 조직에 공급한다.
⑤ 혈림프액은 호흡작용을 돕는다.

65 깔따구

66 Blatella germanica

67 이질바퀴

68 이질바퀴

69 28~33℃

70 4~8회

71 잡식성, 질주성, 군거성, 생활사가 길다, 야간 활동성

72 ① 전국적으로 분포한다.
② 전흉배판에 2줄의 흑색 종대가 있다.
③ 몸 전체가 밝은 황갈색이다.
④ 난협은 알이 부화할 때까지 어미 몸에 붙어 있다.
⑤ 주가성 바퀴 중 가장 소형이다.

73 질주형

74 6~8주

75 불완전변태, 5회 탈피, 령기마다 흡혈, 군거성, 질병 매개는 안함

76 살충제 잔류살포

77 ① 배설물 섞인 병원체가 피부 통해 샤가스병을 옮긴다.

② 알은 벽이나 가구 틈에 접착물질로 부착시킨다.

③ 불완전변태를 한다.

④ 암수 모두 흡혈성

⑤ 자충시기에 충분히 흡혈해야 탈피

78 15~16일

79 샤가스병

80 3회

81 1~2mg

82 ① 빛을 싫어한다.

② 고온과 고습에 부적당하다.

③ 암수 모두 흡혈한다.

④ 숙주선택성이 엄격하다.

⑤ 성충도 흡혈, 성충의 경우 1일간 흡혈

83 2회

84 겨울

85 감염 이의 혈액이 상처 난 피부나 점막에 오염되었을 때

86 1주

87 숙주동물의 둥지, 마루의 갈라진 틈, 부스러기, 먼지 속

88 ① 쥐에서 사람으로 페스트, 발진열 옮김

② 흑사병 옮김

③ 흡혈로 자극적이고 불쾌함

④ 기생충의 중간숙주 역할

89 시궁쥐와 지붕 쥐가 주요숙주이며 세계 모든 지역에서 발견된다.

90 2회 탈피

91 3회 탈피

92 숙주의 털 사이를 빠져 나가는데 이용함

93 페스트

94 · 체장에 약 100배 정도점프

· 완전변태

· 숙주선택성이 엄격하지 않음
· 숙주동물의 둥지에 산란
· 암수 공히 흡혈(자충만 흡혈은 틀린 설명임)
· 숙주가 아니더라도 공격함
· 숙주가 죽으면 재빨리 떨어져 다른 동물로 옮긴다.
· 흑사병균 감염 벼룩은 정상 벼룩보다 자주 흡혈
· 흑사병균에 감염된 벼룩은 수명이 짧다.
· 성충의 수명은 약 6개월
· 알의 부화기간은 1주일
· 유충의 발육기간은 약 2주이다.
· 쥐벼룩은 사람을 흡혈

95 타원형 또는 포탄형임

96 수서식물의 뿌리에 부착

97 저녁 8~10시

98 9~12일

99 약 2주

100
· 호흡관이 퇴화
· 장상모(palmate hair)가 있다(수면에서 수평으로 뜨게 하는 역할을 함).
· 하수구 등에 서식하지 않는다.
· 수면에 평행으로 뜬다.

101 왕모기, 거미, 포식어(모기어), 잠자리유충, 딱정벌레유충, 미꾸라지, 송사리

102 작은 빨간 집모기, 빨간 집모기, 토고 숲모기, 중국 얼룩 날개모기

103 광릉왕모기

104 4회 탈피

105 3회 탈피

106 2회 탈피

107 중국 얼룩 날개모기(Anopheles sinensis)

108 약간의 염분이 섞인 물이 고여 있는 곳

109 사상충증, 뎅그열, 일본 뇌염, 황열 등

110 1~3m

111 수면에 수평으로 뜨게 한다.

112 삼일열(Plasmodium vivax)

113 10시간

114 월동준비가 완료된 상태

115 쉬파리

116 ① 분비물, 배설물 등을 먹고 토함

② 구기의 털에 의해서

③ 욕반에 묻혀서

④ 다리 강모에 의하여

117 4주

118 ① 유충은 물속에 사는 절지동물을 잡아먹는다.

② 유충은 원통형으로 양쪽 끝이 뾰족하다.

③ 번데기는 하체를 흙에 묻고 수직으로 몸을 고정시킨다.

④ 야간 또는 이른 아침 또는 저녁 등에 활동

⑤ 자충만 동물을 공격한다.

119 오자르디 사상충

120 · 생쥐진드기-리케차폭스

· 큰진드기-록키산홍반열

· 등에모기-오자르디사상충

· 곱추파리-회선사상충

· 모래파리-피파티시열

· 좀진드기-쓰쓰가무시병(양충병)

· 큰진드기-록키산홍반열

· 깔따구-뉴슨스

121 · 깔따구 성충의 평균수명은 2~7일

· 파리 수명 4주

· 독나방 수명 7~9일

· 먼지진드기 2개월

122 ① 몸에 비늘이 전혀 없다.
② 구기가 퇴화하였다.
③ 유충의 피 속에 적혈구가 있다.
④ 수명은 2~7일이다.
⑤ 야간 활동성이고 강한 주광성이다.

123 ① 종령기에 가장 많은 독모가 있다.
② 야간활동성
③ 낮에는 잡초나 숲에서 휴식
④ 성충의 수명은 7~9일
⑤ 군서성으로 연 1회 발생한다.

124 유충

125 코 주변

126 록키산 홍반열, Q열, 진드기 매개 뇌염, 라임병, 튜라레미아(Tulaermia, 야토병)

127 공주진드기과

128 참진드기속, 진드기속, 피참진드기속, 가죽진드기속

129 ① 자충과 성충은 자유생활을 하고 유충은 흡혈하지 않는다.
② 성충의 수명은 2개월
③ 대기 중에 불포화 수분을 흡수하는 능력이 있다.
④ 습도가 중요한 생장요인
⑤ 알에서 성충까지 1개월 소요

구서 및 예방

1. 시궁쥐는?

2. 등줄 쥐의 특징은?

3. 지붕 쥐는?

4. 쥐 매개 질병 7가지는?

해설 쯔쯔가무시병, 신증후출혈열, 렙토스피라증 비교도표

특성 \ 감염병	쯔쯔가무시증	신증후군출혈열	렙토스피라증
원인 병원체	리케치아 쯔쯔가무시	한탄 바이러스	렙토스피라균
확인된 숙주	야생들쥐(등줄쥐)	등줄쥐, 집쥐	들쥐,집쥐,족제비,개
감 염 경 로	들쥐에 기생하는 털진드기에 물릴 때	들쥐 등의 바이러스가 호흡기를 통해 전파	감염된 동물 소변이 상처를 통해 전염
주 요 증 상	두통, 열, 발진, 결막충혈	고열, 두통, 복통	고열, 두통, 오한, 눈충혈, 각혈
발 생 시 기	9~11월(11월 최고)	10~12월	9~11월
잠 복 기	6~21일	3~35일	4~19일
사 망 률	1% 정도	약 7%	20%
예 방 접 종	없음	있음	안함

5. 벼룩 매개 질병 3가지는?

6. 생쥐는?

7. 타론(Taron)은?

8. 쥐약에는?

해설 1080=sodium monofluoroacetate

9. 기피성이 없는 만성 살서제(=쥐약) 2가지는?

해설 모든 만성 쥐약들은 항혈 응고성 제제이다. 급성 쥐약은 기피성 있고 만성 쥐약은 기피성 없음

10. 쥐의 능력 4가지는?

11. 곰 쥐의 1회 출산 수는?

해설 곰 세 마리 두 가족이 한 집에 있으면 6마리, 땅을 파고 사는 쥐는 시궁쥐이고, 해안에서 사는 쥐는 곰쥐이며, 시궁쥐가 땅 파고 살고, 곰 쥐가 해안가나 선박에서 산다. 시궁쥐는 시궁창 같은 데 사니까 땅을 파고 사는 것이고, 참고로 집쥐도 땅을 잘 판다.

12. 쥐의 문치는 년 간 평균 얼마나 자라나요?

13. 구서 활동에 적합한 시기는?

14. 쥐에 대한 설명 6가지

15. 생쥐의 활동 범위는?

16. 새끼 쥐가 교미 활동을 할 수 있을 때까지의 기간은?

17. 시궁쥐의 임신기간은?

18. 생쥐의 임신기간은?

19. 시궁쥐의 1회 평균 새끼 출산 수는?

20. 곰 쥐의 1회 평균 새끼 출산 수는?

21. 시궁쥐의 1회 평균 새끼 출산 수는?

22. 생쥐는 1년에 몇 마리 새끼 낳나요?

23. 쥐는 출산 후 몇 일만에 교미하나요?

24. 새끼 쥐는 언제부터 교미 활동하나요?

25. 시궁쥐 새끼는 언제 눈을 뜨나요?

26. 시궁쥐 새끼는 언제까지 어미에게 의존하는가?

27. 쥐가 매끄러운 벽을 오르는 높이는?

28. 쥐가 선 자리에서 어느 높이까지 점프할 수 있는가?

29. 쥐가 하루 먹는 음식물의 양은?

30. 쥐가 하루 먹는 물의 양은?

31. 오직 생쥐에 의해서만 전파되는 질병은?

32. 생쥐의 평균무게는?

해설 만성 살서제의 경우 사전미끼를 꼭 설치할 필요는 없다. 하지만 설치할 수도 있음에 주의, 만성 살서제는 사전미끼를 사용할 필요 없다.(O) 만성 살서제는 사전미끼를 설치해야 한다.(X)

33. 살서제 사용 시 인축의 피해를 방지하기 위해 알아야 할 사항 4가지는?

34. 급성살서제를 미끼먹이에 섞어 설치한 후 언제 수거하여 매몰하는가?

35. 시궁쥐 구제에 안전하며 메스껍고 쓴맛이 있는 살서제는?

36. 동일개체군에 대하여 연 2회 이상 사용할 수 없는 살서제는?

해설 기피성이 높아 같은 구역에서는 자주 사용 못함

37. 살서제 중 극도로 위험하고 위독한 것은?

38. 식물의 꽃에서 추출한 성분으로 만든 살서제는?

39. 만성살서제는?

40. 급성살서제는?

정답

1 Rattus norvegicus=Norway rat

2 등에 검은 줄이 있고 작다. 농촌지역에 많이 분포, 무게가 생쥐와 비슷하고 구멍은 S자로 1~2m 파고 그 속에 둥지가 있다.

3 Rattus rattus=roof rat

4 살모넬라증, 흑사병, 서교열, 발진열, 유행성 출혈열, 선모충증, 렙토스피라증

5 페스트, 발진열, 흑사병

6 Mus musculus=house rat

7 1회투여용 만성살서제

8 Talon(만성), Strichnine(급성), wafarin(만성), 1080(급성, 2차 독성 심함)

9 타론, 와파린

10 ① 덜 굳은 콘크리트를 뚫을 수 있다.
② 1km 이상을 수영한다.

③ 전선을 타고 이동할 수 있다.

④ 각종 파이프의 외부와 내부를 타고 이동한다.

11 6~8마리

12 11~14cm

13 겨울

14 ① 봄과 가을 두 번 peak가 온다.

② 생후 2주부터 갉는다.

③ 생후 12일 정도면 귀가 열려 제대로 들을 수 있다.

④ 사람 냄새에 익숙하고 냄새 맡는 능력이 사람보다 40배 강하다.

⑤ 색맹이고 근시이며 10m 앞을 볼 수 있다.

⑥ 미각은 사람의 미각과 비슷하고 촉감은 수염과 털이 잘 발달하여 모든 감각을 느낀다.

15 8m

16 2~3개월

17 22일

18 19일

19 8~12마리

20 4~8마리

21 8~12마리

22 30~35마리

23 출산 후 2일

24 생후 3개월

25 14~16일(2주)

26 약 5주

27 33cm

28 60cm

29 1온스

30 0.5 ~1온스

31 리케챠 폭스

32 20g

33 ① 인화아연은 미끼먹이와 섞을 때 수분과 작용하여 맹독성인 인 가스를 배출
② Sodiummonofluoroacetate(1080)는 결정체 분말이므로 호흡기관 통한 중독 가능성 높다.
③ 만성살서제는 2차 독성이 거의 없다.
④ 만성살서제 중독시 Vit K를 다량 투여하면 회복률이 높다.

34 1~2일

35 와파린

36 ANTU

37 1080(불화초산소다, sodium monofluroacetate)

38 Red squil

39 Warfarin, chlorophacinone, Fumarin, Pival, Talon, Maki

40 1080, RH787, strichnine, ANTU, Red squil, Zinc phosphide

위생 해충의 구제 및 예방

1. 곤충의 저항성 중 살충제에 대한 습성적 반응이 변화함으로써 치사량 접촉을 피할 수 있는 능력은?

   해설 습성≒생태

2. 가열연막은 (①)로 (②)한다.

3. 극미량연무는?

4. 극미량연무를 할 때 노즐의 각도는?

5. 가열연무를 할 때 노즐의 각도는?

6. 살포방법의 기준을 지켜 잔류분무를 실시하였다. 희석농도가 5%일 경우 원체 몇 g이 벽면에 잔류하는가?

해설 살포방법 기준은 40cc/㎡임

7. 효력 증강제에는?

해설 abate는 유기인계 살충제의 일종으로 효력 증강제가 아님

8. 잔류 분무 시 잔류 효과 차이는?

9. 마이크로 캡슐의 입자 크기는?

10. 극미량 연무시 살충제 입자의 크기는?

11. 가열 연무시 살충제 입자의 크기는?

12. 잔류분무시 살충제 입자의 크기는?

13. 연무시 살충제 입자의 크기는?

14. 분무시 살충제 입자의 크기는?

15. 수화제(wettable powder)의 구성성분은?

16. 유제 제조 시 유화제로 사용하는 것은?

17. 위험도는?

해설 용제가 가장 강하고>유제>수화제>입제>분제 순이다. 용제는 석유, 수용제는 물, 유제는 유화제인 트리톤임

18. 공간살포는 얼마동안 살충력을 기대할 수 있나요?

해설 공간살포에는 에어로솔, 가열연무, 극미량연무가 있다. 미스트는 분사되는 살충제 입자가 50~100u인 경우를 말한다. 분제 살포는 곤충의 접촉이 빈번한 장소에 잔효성 살충제 입자를 잔존시켜 장기간 살충효과를 내는 방법으로 분제를 살포하는 것을 제외하면 잔류분무와 동일하다. 유인제는 성페로몬, 집합페로몬의 유사물을 합성한 유기물로서 극히 미량으로 강력한 유인효과를 나타내어 해충방제에 이용가치가 높고, 살충제와 혼합하며, 매우 큰 효과를 볼 수 있다.

19. 살충제 용매로 가장 널리 사용되고 있는 것은?

해설 Rotenone은 식물성 살충제의 일종임

20. 기피제에는?

해설 RH 787은 급성살서제임, piperonyl butoxide는 효력 증강제이고 benzyl benzoate는 효력 증강제가 아닌 기피제임

21. 유기인계 살충제는(-thion)?

22. 유기염소계 살충제는(-chlor)?

23. 카바메이트계 살충제는(-carb-)?

24. Pyrethroids계 살충제는(-thrin)?

25. 잔류분무시 가장 이상적으로 분무하려면 벽 면적당 몇 cc의 희석액이 살포되어야 하는가?

26. 공기 압축분무기로 잔류분무 하고자 할 때 공기를 평균 얼마나 압축하나?

27. 잔류 분무시 분당 어느 정도의 면적을 살포해야 하는가?

28. 가열연막은 언제 하는가?

29. 식독제로는?

해설 인화 알미늄은 식독제가 아님

30. 포유류에 독성이 낮은 것은?

31. 인축 독성이 가장 낮은 것은?

32. 인축에 맹독성인 것은?

33. 유기염소계의 특성은?

해설 지속적은 '유기' 잔류효과는 '염소'

34. 흰쥐에 대한 경구독성 중앙치사량이다(LD_{50}). 방역용 살충제로서 가장 이상적인 것은?

① 고도독성 5~50mg/kg

② 중도독성 50~500mg/kg

③ 극도독성 5mg/kg 이하

④ 무해무도독성 5000~15,000mg/kg

⑤ 저도독성 500~5,000mg/kg

35. 유기인계 중독의 경우 중독 정도를 알 수 있는 측정항목은?

36. 유기인계 중독의 경우 도움이 되는 응급처치는?

37. 독이 법을 사용하는 곤충은?

해설 벼룩은 독이 법을 사용안함, 독 먹이 법은 보통 개미나 파리, 바퀴벌레 같은 저작 형 곤충(음식 막 깨물어 먹는 종류)에게 효과적이다. 나방은 나비와 비슷하므로 입이 돌돌 말려있다. 사실 풀숲이나 잡목에 대량으로 발생하는 독나방 방제의 가장 효과적 방법은 미스트법이다. 독나방은 먹이를 안 먹으면, 7일 만에 죽는다. 독 먹이 법은 보통 개미나 파리, 바퀴벌레 같은 저작 형 곤충(음식 막 깨물어 먹는 종류)에게 효과적이다. 흡충관(Aspirator)은 모기유충을 채집하는 도구이다. 유충은 스포이드, 국자, 흡충관 등으로 잡고, 성충은 방충망으로 채집한다.

38. 차량가열연막 작업은?

39. 차량가열연막 작업은?

40. 훈증제는?

41. 살충제의 생리적 저항성 개념은?

42. 축사벽에 잔류분무를 하고자 할 때 분무기의 노즐(분사구)은?

43. LD_{50}은 수치가 낮을수록 독성이 강할까? 수치가 높을수록 독성이 강할까?

44. 56% 마라치온을 물에 타서 4% 희석액을 만들려면 몇 배의 물이 필요하나?

정답

1 생태적 저항성

2 ① 30~40도 ② 하향

3 기계적 방법에 의해 저독성 살충제를 고농도로 농축하여 살포하는 방법

4 위로 45도

5 30~40도 하향

6 2g/m^2

7 pipeonyl butoxide, pipeonyl cyclonine, DMC, sesamine

8 타일>페인트 칠한 나무 벽, 시멘트벽>흙벽, 저온>고온, 음지>양지, 페인트 칠한 벽>시멘트 벽

9 20~30μ

10 5~50μ

11 0.1~40μ

12 100~250μ

13 0.1~50μ

14 100μ 이상

15 증량제+친수제+계면활성제

16 triton

17 용제>유제, 용제>수화제, 분제>입제, 유제>분제, 유제>수화제

18 20~30분

19 석유나 Kerosene

20 DMP, Dimethyl carbate, ★Benzyl benzoate, Rutgrs 612

21 Malathion, ★Naled, ★Diazinon, ★DDVP, Fenthion, Fenitrothion, Trichlorfon(Dioterex), Dimethoate, Parathion(Folidol) 등

22 DDT, DDD, Methoxychlor, BHC, ★Heptachlor, Lindane, Chlordane, Aldrin, ★Dieldrin 등

23 Carbaryl(=sevin), ★Propxur(★Baygon), Bendiocarb(Ficam)

24 Allethrin, Biomethrin, Cyclethrin, Dimethrin, Senothrin, ★Sumicidin, Empenthrin, Indothrin, Permethrin, Resmethrin, Tetramethrin 등

25 40cc/m^2

26 40LB

27 19m^2

28 새벽

29 염화수은, 붕산, 비산동, 비소

30 Malathion

31 Malathion

32 Parathion(=Folidol)

33 지속적 잔류효과

34 ⑤

35 혈액의 크리네스트라효소(choliesterase)의 양 측정 중독 정도 알 수 있다.

36 휴식을 취하면 도움이 된다.

37 파리, 바퀴, 벌개미

38 새벽 또는 아침이나 저녁 또는 저녁이나 새벽에 하는 것이 좋다.

39 차량속도 8km/h로 유지, 살포 폭은 평균 50m, 시간당 40gallon을 분무함, 풍속 10km/h 이상이면 불가능함

40 Phosphine, Hydrogen cyanide, Methyl bromide, Naphthalene

41 저항성 발전요인이 살충제 사용 이전에 이미 개체군의 일부개체에 존재하고 있다.

42 부채꼴

43 수치가 낮을수록 독성이 강하다.

44 13배(1:13)

선별 문제

01. 트리아토민노린재에 대한 설명 중 틀린 것은?

① 흡혈에 의하여 샤가스병을 옮긴다.

② 알은 벽이나 가구 틈에 접착물질로 부착시킨다.

③ 불완전변태를 한다.

④ 암수 모두 흡혈성

⑤ 자충시기에 충분히 흡혈해야 탈피

해설 배설물 섞인 병원체가 피부 통해 감염

02. 이(Lice)에 대한 설명 중 틀린 것은?

① 빛을 싫어한다.

② 고온과 고습에 부적당하다.

③ 암수모두 흡혈한다.

④ 숙주선택성이 엄격하다.

⑤ 자충만 흡혈한다.

해설 성충도 흡혈. 성충의 경우 1일간 흡혈. 특히 머릿이의 경우 흡혈안하면 머릿이의 생명이 위험한 경우가 됨

03. 집파리에 의하여 질병이 전파되는 경우가 아닌 것은?

① 분비물, 배설물 등을 먹고 토함

② 구기의 털에 의해서

③ 날개를 서로 비벼서

④ 욕반에 묻혀서

⑤ 다리 강모에 의하여

04. 등에의 습성에 대한 설명 중 잘못된 것은?

① 유충은 물 속에 사는 절지동물을 잡아먹는다.

② 유충은 원통형으로 양쪽 끝이 뾰족하다.

③ 번데기는 하체를 흙에 묻고 수직으로 몸을 고정시킨다.

④ 야간 활동성이다.

⑤ 자충만 동물을 공격한다.

해설 야간 또는 이른 아침 또는 저녁 등에 활동

05. 깔따구에 대한 설명 중 옳지 않은 것은?

① 몸에 비늘이 전혀 없다.

② 구기가 퇴화하였다.

③ 유충의 피 속에 적혈구가 없다.

④ 수명은 2~7일이다.

⑤ 야간 활동성이고 강한 주광성이다.

해설 유충의 피 속에 적혈구가있다.

06. 독나방과 관계없는 것은?

① 종령기에 가장 많은 독모가 있다.

② 야간활동성

③ 낮에는 산에서 휴식

④ 성충의 수명은 7~9일

⑤ 군서성으로 연 1회 발생한다.

해설 잡초나 숲에서

07. 먼지진드기에 대한 설명 중 틀린 것은?

① 자충과 성충은 자유생활을 하고 유충만 흡혈

② 성충의 수명은 2개월

③ 대기 중에 불포화 수분을 흡수하는 능력이 있다.

④ 습도가 중요한 생장요인

⑤ 알에서 성충까지 1개월 소요

해설 흡혈하지 않는다.

08. 빈대의 생활사와 습성으로 맞지 않는 것은?

① 완전변태를 한다.

② 자충은 5령기를 거쳐 성충이 된다.

③ 자충의 시기에도 흡혈한다.

④ 주로 야간에 활동한다.

⑤ 자충은 5회 탈피한다.

해설 이, 빈대, 바퀴는 불완전 변태임

09. 작은 빨간 집모기(뇌염모기) 성충의 특징이 아닌 것은?

① 크기가 4.5mm 정도
② 암갈색을 띤다.
③ 주둥이에는 흰 띠가 없다.
④ 각 복절 기부에 흰 띠가 있다.
⑤ 순판에 특별한 무늬가 없다.

해설 무늬가 있다. 주둥이 중앙에 넓은 백색 띠가 뇌염모기의 특징임

10. 작은 빨간 집모기(뇌염모기) 유충의 특징이 아닌 것은?

① 흉부에 있는 견모는 모두 단모이다.
② 호흡관이 가늘고 길다.
③ 즐치는 11~14개이다.
④ 측즐은 없다.
⑤ 호흡관모는 아복측부에 5쌍, 측부에 1쌍 있다.

해설 30~40개가 있고 끝이 뭉툭

11. 곤충의 발육에 대한 설명 중 틀린 것은?

① 알에서 유충으로 부화한다.
② 유충에서 번데기까지 보통 2회 이상 탈피한다.
③ 성충은 계속 성장한다.
④ 번데기가 성충으로 우화한다.
⑤ 유충의 각 탈피과정 사이를 령기라고 한다.

해설 일단, 성충이 되면 크기는 더 이상 변하지 않음

12. 곤충의 말피기씨관에 대한 설명 중 잘못된 것은?

① 탄산염, 염소, 인, 염 등의 노폐물을 여과시킨다.
② 곤충에 따라 1~150개로 차이가 있다.
③ 수가 많은 것은 길이가 길다.
④ 체강 내에 부유하고 있다.
⑤ 중장과 후장 사이에 연결되어 있다.

해설 짧다.

13. 순환계에 대한 설명 중 틀린 것은?

① 대동맥이 있다.

② 혈액은 엷은 담홍색, 담록색, 무색임

③ 심장은 보통 하나로 되어 있다.

④ 혈림프액은 주로 영양분의 각 조직에 공급한다.

⑤ 혈림프액은 호흡작용을 돕는다.

해설 9개임

14. 독일바퀴의 특성이 아닌 것은?

① 전국적으로 분포한다.

② 전흉배판에 2줄의 흑색 종대가 있다.

③ 몸 전체가 흑갈색이다.

④ 난협은 알이 부화할 때까지 어미 몸에 붙어 있다.

⑤ 주가성 바퀴 중 가장 소형이다.

해설 밝은 황갈색이다.

15. 쥐의 능력에 해당하지 않는 것은?

① 덜 굳은 콘크리트를 뚫을 수 있다.

② 1km 이상을 수영한다.

③ 전선을 타고 이동할 수 있다.

④ 각종 파이프의 외부와 내부를 타고 이동한다.

⑤ 미끄러운 벽을 기어 올라 갈 수 있다.

해설 미끄러운 벽은 곤란

16. 쥐에 대한 설명 중 틀린 것은?

① 봄과 가을 두 번 peak가 온다.

② 생후 1개월부터 갉는다.

③ 생후 12일 정도면 귀가 열려 제대로 들을 수 있다.

④ 사람 냄새에 익숙하고 냄새 맡는 능력이 사람보다 40배 강하다.

⑤ 색맹이고 근시이며 10m 앞을 볼 수 있다.

⑥ 미각은 사람의 미각과 비슷하고 촉감은 수염과 털이 잘 발달하여 모든 감각을 느낀다.

해설 3개월임

17. 살서제를 사용할 때 인축의 피해를 방지하기 위하여 알아야 할 사항 중 틀리는 것은?

① 인화아연은 미끼먹이와 섞을 때 수분과 작용하여 맹독성인 인 가스를 배출

② Sodiummonofluoroacetate(1080)는 결정체 분말이므로 호흡기관 통한 중독 가능성 높다.

③ 만성살서제는 2차 독성이 거의 없다.

④ 만성살서제에 중독되면 치료방법이 없다.

⑤ 만성살서제 중독시 Vit K를 다량 투여하면 회복률이 높다.

정답

1	2	3	4	5
①	⑤	③	④	③
6	7	8	9	10
③	①	①	③	④
11	12	13	14	15
④	③	③	③	⑤
16	17			
②	④			

5. 위생관련법령

공중위생 관리법

1. 위생사의 국가시험에 대한 사항은 어디서 정하나요?
2. 위생사의 국가시험은 매년 1회 이상 보건복지부장관이 실시하되 그 시험 과목, 시험방법, 합격기준 기타 시험에 관하여 필요 사항은 ( )으로 정함
3. 위생사 국가시험에서 부정행위하면 (①)로 한다. 그 후 (②)에 한하여 국가시험에 응시할 수 없다.
4. 동일명칭 사용금지법 따라 위생사 아니면서 위생사 명칭 사용자에게 부과되는 과태료는?
5. 과태료 처분에 불복이 있는 자는 처분 고시 받은 날부터 며칠이내 보건복지부장관에게 이의 제기할 수 있는가요?
6. 위생업무 중 대통령이 정하는 업무란?
7. 위생사 국가 시험시 보건복지부 장관에게 제출하는 서류는?

   해설 신원보증서는 아님
8. 과태료 부과자는 처분대상자에게 며칠 이상의 기간으로 구술 또는 서면에 의한 의견진술의 주어야 하나요?
9. 위생사의 면허 자격 취득을 위한 위생업무 4가지는?

정답

1 대통령령

2 대통령령

3 ① 그 수험을 정지시키거나 합격을 무효 ② 2회

4 100만원 이하

5 30일

6 소독업무와 보건관리업무

7 이수증명서 혹은 졸업증명서, 위생업무에 종사한 경력증명서, 의사의 진단서, 사진

8 10일

9 ① 국가 공공단체 또는 국, 공리의 위생시험기관에서 직무상 행하는 식품위생, 환경위생 및 위생시험에 관한 업무

② 식품위생법에 의한 식품위생관리인의 업무

③ 근로자의 보건관리에 관한 업무

④ 감염병 예방법에 의한 소독업무를 보조하는 업무

식품위생법

1. 식품위생법에서 정하는 '식품첨가물' 설명에 해당되지 않는 것은?

① 제조 ② 가공 ③ 조리 ④ 보존 ⑤ 추출

2. 식품위생법의 제2조 2호 식품첨가물이라 함은?

3. 식품위생법에서 정의하는 '화학적 합성품'을 얻는 방법에 해당되지 않는 것은?

① 중합 ② 추출 ③ 혼합 ④ 발효 ⑤ 분해

4. 식품위생법 제2조 3호의 [화학적 합성품]에서의 화학반응에 포함하지

않는 화학 반응은?

5. 식품위생법에서 정의하는 '표시'는?

6. 판매를 목적으로 하는 식품 또는 식품첨가물과 기구와 용기, 포장의 표시에 관하여 필요한 기준은 누가 정하여 고시하는가?

7. 판매를 목적으로 식품을 수입했을 때 신고하여야 하는 기관은?

8. 식품위생감시원은 식품의약품안전처, 특별시, 광역시, 도(이하 시 · 도), 또는 시군구에 둔다(○, ×)?

해설 보건복지부는 아님

9. 영업의 질서유지 또는 선량한 풍속을 유지하기 위하여 식품접객업에 대한 영업시간을 제한할 수 있는 사람은?

10. 조리사는 누구의 면허를 받는가?

11. 영업시설에 관한 지도, 경영지도 사업 등의 효율적인 수행을 위하여 자율지도원을 두는 곳은?

해설 조합원의 신규채용에 관한 임무는 동업자 조합의 사업내용은 아님

12. 집단급식소를 설치, 운영하고자 하는 자는 누구에게 신고하나요?

13. 병육 등의 판매 금지 위반으로 병육을 판매할 경우 벌칙은?

14. 7년 이하의 징역 또는 1억원 이하의 벌금을 내는 경우는?

15. 영업시간 제한 위반은?

16. 시장 · 군수 · 구청장이 허가하는 업종은?

17. 식품조사 처리업의 허가권자는?

18. 시도지사에게 신고하는 업종은?

해설 식품첨가물제조업은 허가 대상업임, 식육 등 수입판매업은 식품의약품안전청장에게 신고한다.

19. 조리사를 두어야 할 영업은?

해설 단, 영양사가 조리사의 면허가 있으면 조리사를 따로 두지 않아도 된다.

20. 식품위생심의 위원회는?

21. 식품위생심의위원회위원의 임기는?

22. 식품위생법에서 수입판매업은 누구에게 신고하나?

23. 식중독의 원인물질을 찾아내기 위하여 역학적 조사나 식중독환자에 대한 세균학적 또는 이화학적인 시험에 의한 조사는 누가 하는가?

24. 병육 등의 판매 등이 금지되는 동물의 질병은?

해설 방선균증은 아님

25. 식품을 수입하고자 하는 자에게 수입신고필증을 교부하는 자는?

해설 여수, 군산, 포항검역소에서는 식품검역업무를 국립검역소에서 함께 실시

26. 수입식품에 대한 검사를 실시하고자 한다. 검사의 종류는?

해설 육안검사는 아님

27. 수입식품에 대한 검사 중 관능검사는?

해설 미생물학적 검사는 관능검사가 아님

28. 식품 수거 시 봉인은 누가 하나요?

29. 식품위생검사기관으로 지정받은 기관은?

해설 한국식품개발연구원, 한국보건산업진흥원, 한국식품공업협회부설 한국식품연구소, 식품의약품안전청, 가축위생시험소(=축산위생시험소=축산진흥연구소=가축위생시험소=축산진흥원), 현대백화점품질연구소, 아씨테크환경생명기술연구원, 한국생활용품시험연구원, 랩프런티어, 에이엔드에프, 삼성에버랜드(주)식품연구소 등도 식품위생검사기관으로 지정받은 기관들임, 식품의약품안전본부는 아님, 식품의약품안전본부는 식품위생검사기관으로 지정하는 기관이기 때문임

30. 자가 품질검사에 관한 기록서 보관기간은?

31. 식품위생검사기관의 시험기록물 보관기간은?

해설 식품위생법의 규정에 의하여 영업에 종사하지 못하는 질병 중 B형 간염은 2001년 7월 31일 법 개정으로 삭제되었음

32. 식품진흥기금을 사용할 수 있는 사업을 정리하면?

33. 영양 표시라 함은?

정답

1 ⑤

2 식품을 제조, 가공 또는 보존함에 있어 식품에 첨가, 혼합, 기타의 방법으로 사용되는 물질

3 ⑤

4 분해반응

5 식품, 첨가물, 기구 또는 용기, 포장에 기재하는 문자, 숫자 또는 도형을 말함

6 식품의약품안전처장

7 보건복지부장관, 식품의약품안전처장

8 ○

9 시도지사

10 시 · 군 · 구청장

11 동업자조합

12 시 · 군 · 구청장

13 7년 이하의 징역 또는 1억원 이하의 벌금

14 위해식품판매, 병육 판매, 기준, 규격이 고시하지 아니한 화학적 합성품 판매, 유독기구판매, 영업 허가를 받아야 하는 자가 허가를 받지 않고 영업한 때

15 5년 이하의 징역 또는 5,000만원 이하의 벌금

16 단란주점영업, 유흥주점영업

17 식품의약품안전처장

18 용기, 포장류제조업, 식품소분판매대리업, 식품제조가공업, 즉석판매제조, 가공업, 식품냉동, 냉장업, 휴게음식점영업, 일반음식점영업

19 식품 접객업 중 복어를 조리, 판매하는 영업, 국가, 지방자치단체, 학교, 병원, 사회복지시설, 특별법에 의하여 설립된 법인

20 위원장 1인과 부위원장 2인을 포함하여 100인 이내의 위원으로 구성된다. 위원의 임기는 2년이다.

21 2년

22 식품의약품안전처장

23 보건소장 또는 보건지소장

24 구간낭충, 살모넬라증, 파스튜렐라병, 선모충증 및 도축이 금지되는 가축감염병과 리스테리아병

25 지방 식품의약품안전처장 또는 국립검역소장

26 서류검사, 관능검사, 정밀검사, 무작위표본검사

27 제품 성상, 맛, 냄새, 색깔, 표시, 포장상태

28 관계공무원과 피수거자가 함께 한다.

29 국립검역소, 시도보건환경연구원, 국립수산물품질검사원, 지방 식품의약품안전처

30 2년

31 3년

32 · 영업자(건강기능식품에관한법률에의한영업자포함)의 위생관리시설 개선을 위한 융자사업
· 식품위생에 관한 홍보사업 및 소비자 식품 위생 감시원의 교육, 활동지원
· 식품 위생 교육, 연구기관의 육성 및 지원
· 식품위생 및 국민영양에 관한 조사, 연구사업
· 음식문화의 개선 및 좋은 식단 실천을 위한 사업의 지원
· 포상금지급의 지원
· 기타 식품 위생 및 국민 영양, 식품 산업진흥 및 건강기능식품에 관한 사업으로써 대통령령이 정하는 사업
· 집단급식소(위탁에 의하여 운행되는 집단 급식소에 한한다)의 급식시설 개·보수

33 식품의 일정량에 함유된 영양소의 함량 등 영양에 대한 정보를 표시하는 것

감염병 예방 및 관리에 관한 법률

1. 의사 또는 한의사는 제3군 및 지정감염병 환자 등을 진단하였을 때에는 며칠 이내에 보건소장에게 신고해야 하나요?
2. 제1군 감염병 환자가 사망하였을 때에 기타 신고의무자는?
3. 제1군 감염병 환자가 사망하였을 때에 기타 신고의무자는?
4. 감염병예방법에 규정한 제2군 감염병은?
5. 국가예방접종 대상사업이 되는 감염 질병 분류는?
6. 제4군 감염병의 종류는?
7. 보건소장이 환자명부를 작성하고 보고하는 규정은?
8. 보건소장은?
9. 감염병 예방법 용어를 정리하면?
10. 보건소장 등의 보고 순서는?
11. 감염병 감염 의심자에게 누가 건강진단이나 예방접종 받을 것을 명할 수 있나?
12. 정기예방접종은 누가 실시하나?
13. 예방접종 공고는 누가 하나?
14. 예방접종 증명서 교부자는?
15. 정기예방접종은 어떻게 하나?
16. 예방접종 기록은 어디서 정하는 바에 따라서 작성, 보관하여야 하는가?

17. 감염병 예방 시설을 설치할 수 있는 자는?

해설 보건소장은 아님

18. 감염병 환가 또는 감염병원체에 오염되었다고 의심되는 장소의 소독 또는 필요한 조치의 시행의무자는 누구인가?

19. 소독업을 하고자 하는 자는 보건복지부령이 정하는 시설, 장비 및 인력을 갖추어 누구에게 신고하여야 하나?

20. 소독업 신고를 한 자가 그 영업을 30일 이상 휴업하거나 또는 폐업하고자 할 때?

21. 방역관은?

해설 질병관리본부, 서울특별시, 광역시, 충청북도 등지가 해당됨, 군 등은 해당 안 됨

22. 예방위원을 유급위원으로 둘 수 있는 인구비율은?

23. 예방위원을 둘 수 있는 곳은?

24. 시 · 군 · 구가 부담할 경비는 4가지는?

해설 격리병사에 소요되는 경비는 아님

25. 시 · 도는 어디에서 정하는 바에 따라 시 · 군 · 구가 지출할 경비의 2/3를 보조하나?

26. 국고부담경비 4가지는?

해설 개인요양소에서 소요되는 경비는 보조할 경비이지 부담할 경비가 아님

27. 국고가 보조해야할 경비 4가지는?

해설 감염병 예방선전에 소요되는 경비는 부담할 경비이지 보조할 경비가 아님

28. 감염병 환자가 격리수용을 거절했을 때 벌칙은?

29. 의사 또는 한의사가 감염병 환자를 신고 또는 보고를 게을리 하거나 허위신고 했을 때 벌칙은?

30. 허위 예방접종 증명 발급에 대한 벌칙은?

31. 감염병 환자 진단 후 신고방법은?

32. 환자명부작성 및 보고규정 4가지는?

33. 시장 · 군수 · 구청장이 건강진단 또는 감염병예방에 필요한 예방접종을 받을 것을 명할 수 있는 범위 4가지는?

해설 환자를 소독한 자는 아님

34. 예방접종 공시는 예방접종일 며칠 전인가?

35. 제1군 감염병 환자의 예방, 진료 및 입소에 필요한 예방시설은?

36. 제3군 감염병 환자의 예방시설은?

37. 제3군 감염병 환자의 예방, 진료 및 입소에 필요한 예방시설은?

38. 소독업자는 소독실시 사항을 기록하여 몇 년간 보관하나요?

39. 소독업을 신고할 날로부터 며칠 이내에 소독에 관한 교육을 받아야 하나요?

40. 검역위원의 직무 4가지는?

해설 주민 계몽 및 위생교육은 검역위원의 직무가 아니고 예방의원의 직무임

41. 검역위원의 임명권자는?

42. 예방위원의 임명권자는?

43. 예방위원의 직무 4가지는?

해설 장소소독 등은 검역위원의 직무임

44. 국가 및 지방자치단체가 감염병에 대한 예방 등 방역대책을 마련하기 위한 사업내용 8가지는?

해설 감염병 환자 격리는 해당 안 됨

45. 제1군 감염병이 발생하였거나 제2군 내지 제4군 감염병이 유행할 우려가 있을 때 역학조사를 실시할 수 있는 자는?

46. 예방접종의 효과 및 부작용에 관하여 조사하고 예방 접종으로 인한 부작용으로 의심되는 경우 역학조사 실시할 수 있는 자는?

47. 감염병 관련 업무에 종사하는 자가 업무상 알게 된 타인의 비밀을 누설하였을 때 벌칙은?

48. 질병관리본부장은 표본감시의료기관을 지정하여 감염병 발생감시를 하게 할 수 있다는 규정이 있는데 이에 의해 감시해야 하는 감염병은?

해설 결핵은 아님

49. 질병관리본부장이 표본감시감염병별로 구분하여 시 · 도지사의 추천을 받아 표본감시의료기관을 지정하는데 그 연결내용은 아래 감염병별로 정리하면?

- B형간염 및 성병 중 선천성 매독
- 성병(선천성 매독은 제외)
- 인플루엔자
- 지정감염병

해설 표본감시감염병별과 요양소, 진료소는 관계없음

50. 감염병예방법상의 소독의 방법은?

해설 살균소독은 아님, 1군 감염병 – 격리소, 3군 감염병–진료소, 요양소에서 소요되는 경비-국가가 보조해야 될 경비

정답

1 7일

2 · 일반가정 : 세대주

· 학교, 병원, 관공서, 회사, 흥행장 : 그 기관의 장, 관리인, 경영자 또는 대표자

· 육, 해, 공군 소속 부대 : 그 소속의 부대장

3 소재지의 보건소장에게 (즉시) 신고하여야 한다.

4 디프테리아, 백일해, 파상풍, 홍역, 폴리오(=소아마비), 풍진, 유행성이하선염, B형간염, 일본뇌염, 수두, b형헤모필루스인플루엔자, 폐렴구균

5 제2군 감염병

6 페스트, 황열, 뎅기열, 바이러스성출혈열(마버그열, 라싸열, 에볼라열), 두창, 보툴리눔 독소증, 중증 급성호흡기증후군(SARS), 조류인플루엔자인체삼염증, 신종인플루엔자, 야토병, Q열(큐열), 웨스트나일열, 신종 전염병 증후군, 라임병, 진드기매개뇌염, 유비저, 치쿤구니아열 등

7 · 제1군, 제4군 감염병, 탄저 : 신고 또는 보고받은 즉시

· 제2군, 제3군 감염병 : 매주 1회

· 제2군, 제3군 감염병 중 2인 이상의 감염병 환자 발생이 역학적 연관성이 있는 것으로 의심되는 경우와 일본 뇌염 : 신고 또는 보고받은 즉시

· 지정 감염병 : 매주 1회

· 제2군, 제3군 감염병 중 2인 이상의 감염병 환자 발생이 역학적 연관성이 있는 것으로 의심되는 경우와 일본뇌염 : 즉시

8 감염병환자 등의 명부를 작성 보관하고 그 상황을 보고하여야 한다.

9 · 생물테러 감염병 : 고의로 또는 테러 등을 목적으로 이용된 병원체에 의하여 발생된 감염병으로서 보건복지부 장관이 고시한 것

· 인수공통감염병 : 동물과 사람간에 상호 전파되는 병원체에 의하여 발생되는 감염병으로서 보건복지부 장관이 고시하는 감염병

· 고 위험 병원체 : 생물 테러의 목적으로 이용되거나 사고 등에 의하여 외부에 누출될 경우 국민 건강에 심각한 위험을 초래할 수 있는 감염병병원체로서 보건복지부령이 정하는 것

10 보건소장 → 시장 · 군수 · 구청장 → 특별시장, 광역시장 또는 도지사 → 보건복지부장관

11 시장 · 군수 · 구청장

12 시장 · 군수 · 구청장

13 시장 · 군수 · 구청장

14 시장 · 군수 · 구청장

15 시장 · 군수 · 구청장은 보건소를 통하여 정기예방접종을 실시하여야 한다.

16 보건복지부령에 따라 작성, 보관하고 또한 그 내용을 시 · 도지사에게 보고하여야 한다. 이 경우 보고를 받은 시 · 도지사는 이를 질병관리 본부장에게 보고하여야 한다.

17 시 · 도지사, 시장 · 군수 · 구청장

18 기타신고의무자

19 시장 · 군수 · 구청장에게 신고하여야 한다.

20 보건복지부령에서 정하는 바에 따라 시장 · 군수 · 구청장에게 신고하여야 한다.

21 (질병관리본부) 및 (시, 도)에 둔다.

22 인구 2만 명에 1인 비율

23 시 · 군 · 구(자치구에 한함)

24 ① 감염병 예방시설에 관한 경비
② 예방위원에 관한 경비
③ 식수공급에 요하는 경비
④ 예방접종의 시행에 소요되는 경비

25 대통령령

26 ① 예방접종약의 생산비
② 국력 예방시설에 관한 경비
③ 감염병 예방선전에 요하는 경비
④ 예방접종으로 인한 피해보상을 위한 경비

27 ① 감염병 예방시설에 요하는 경비의 1/2 이상
② 사립 3군감염병 요양소에서 소요되는 경비의 일부
③ 한센병의 예방 및 진료업무를 수행하는데 소요되는 경비의 전액 또는 일부
④ 시, 도가 부담할 경비의 1/2 이상

28 300만원 이하의 벌금

29 200만원 이하의 벌금

30 200만원 이하의 벌금

31 서면, 구두, 전보, 전화 또는 컴퓨터 통신으로 함

32 ① 제1군, 제4군 감염병, 탄저 : 신고 또는 보고받은 즉시
② 제2군, 제3군 감염병 : 매주 1회
③ 제2군, 제3군 감염병 중 2인 이상의 감염병 환자 발생이 역학적 연관성이 있는 것으로 의심되는 경우와 일본 뇌염:신고 또는 보고받은 즉시
④ 지정 감염병 : 매주 1회

33 ① 감염병 환자 등의 가족 또는 동거인
② 감염병 발생지역에 거주하는 자
③ 감염병 발생지역에 출입하는 자로 감염의심이 있는 자
④ 감염병 환자 등과 접촉하여 감염의심이 있는 자

34 10일 전

35 · 격리치료병원 및 요양소-병원에 해당하는 시설
· 격리치료의원 및 진료소-의원에 해당하는 시설
· 격리소-의원에 해당하는 시설

36 진료소

37 요양 진료를 행하는 진료소, 일반진료를 행하는 진료소

38 2년

39 6개월(180)일

40 ① 감염병의 병원체 규명
② 감염병 병원체에 오염된 장소소독
③ 감염병 환자 등의 추적, 격리수용 및 감시
④ 감염원의 조사, 감염 경로의 추적 등 역학조사

41 시 · 도지사

42 시장 · 군수 · 구청장

43 ① 감염병 환자 등의 관리 및 치료에 관한 기술 자문에 관한 사항
② 감염병 발생의 정보수집 및 판단

③ 역학조사에 관한 사항

④ 주민 계몽 및 위생교육

44 ① 감염병의 예방 및 관리 대책의 수립

② 감염병 환자 등의 보호 및 진료

③ 감염병에 관한 교육 및 홍보

④ 감염병에 관한 정보의 수집, 분석 및 제공

⑤ 감염병에 관한 조사, 연구

⑥ 감염병 병원체 검사, 보존, 관리 및 약제 내성 감시

⑦ 감염병 예방을 위한 전문 인력의 양성

⑧ 감염병 관리 능력 제고를 위한 국제적 연대 확보

45 질병관리본부장, 시 · 도지사

46 질병관리본부장

47 3년 이하의 징역이나 1천만원 이하의 벌금

48 B형간염, 성병, 인플루엔자, 지정감염병

49 ▸ B형간염 및 성병 중 선천성 매독

답 의원(산부인과진료과목이 있는 경우), 병원 및 종합병원, 보건의료원

▸ 성병(선천성 매독은 제외)

답 비뇨기과, 산부인과 또는 피부과 진료과목이 있는 의료기관, 보건소

▸ 인플루엔자

답 소아과, 내과, 가정의학과 또는 이비인후과 진료과목이 있는 의료기관, 보건소

▸ 지정감염병

답 보건의료기관, 종합전문요양기관, 의과대학, 지정감염병에 관한 연구 및 학술발표 등을 목적으로 결성된 학회

50 소각, 증기소독, 자비소독, 약물소독, 일광소독

먹는 물 관리법

1. 먹는 물 관련 영업자에게 지도 및 관리를 하여야 하는 곳은?

   해설 보건복지부나 환경부가 정답이 아님에 주의

2. 수질관리기준을 정하여 보급하고 먹는 물의 수질관리 시책을 마련하는 자는?

3. 먹는 물의 수질기준 및 검사횟수는 어디서 정하나요?

4. 먹는 물 공동시설의 관리위한 필요조치를 하는 자는?

5. 먹는 물 공동시설을 2 이상의 시 · 군 및 자치구 주민이 이용 시 누가 관리하나요?

6. 샘물제조업을 하고자 하는 자는 주변 환경에 미치는 영향과 주변 환경으로부터 발생하는 해로운 영향을 줄일 수 있는 방안에 대하여 조사해야 한다. 이런 조사는 무엇이라 하나요?

7. 환경영향조사대상자로 등록을 하고자 하는 자는 등록신청서를 누구에게 제출하여야 하나?

8. 먹는 샘물 제조업 하고자 하는 자는?

   해설 법령 개정된 사항

9. 정수기제조업을 하고자 하는 자는?

   해설 법령 개정된 사항

10. 수 처리제 제조업을 하고자 하는 자는?

    해설 법령 개정된 사항

11. 먹는 샘물 수입판매업을 하고자 하는 자는?

    해설 법령 개정된 사항

12. 먹는 샘물, 수 처리제, 정수기 또는 그 용기의 종류, 성능, 제조 방법, 보존 방법, 유통 기한 등에 관한 기준과 규격을 정하여 고시할 수 있는 자는?

13. 먹는 샘물 및 수 처리제에 관하여 필요한 기준을 정할 수 있는 자는?

14. 출입, 검사, 수거, 장부 열람을 할 수 있는 곳은?

해설 운반소는 아님

15. 먹는 물 관련 영업자에게 필요한 지도와 명령을 할 수 있는 자는?

해설 시장, 군수는 아님

16. 먹는 물 관련자에게 영업정지에 갈음하여 얼마 이하의 과징금 부여하나?

17. 먹는 물 수질검사원을 임명하는 자는?

해설 식품의약품안전청장은 아님

18. 먹는 물 수질 감시원이 될 수 있는 자는?

해설 대기 환경기사, 산업 환경기사는 아님

19. 먹는 샘물의 광고를 금지 또는 제한할 수 있는 사람은?

20. 먹는 물 공동시설의 관리대상에 해당되는 항목은?

해설 먹는 물 공동시설을 2 이상의 시·군 및 자치구의 주민이 이용할 때는 시·도지사가 지정한 시설

21. 먹는 샘물 수입 신고 시 검사 방법 중 정밀 검사해야 하는 7가지는?

22. 먹는 샘물 제조업자의 경우 생산 및 작업일지 보존기간은?

23. 먹는 물 수입업자의 경우 생산 및 작업일지 보존기간은?

24. 수처리제 제조업자 및 정수기제조업자의 경우 생산 및 작업일지 보존기간은?

25. 표지제조자의 경우 생산 및 작업일지 보존기간은?

26. 먹는 샘물 제조업자의 다음 각 항목별 자가 품질 검사 관련 주기는?

- ▸ 일반세균에 관한 검사
- ▸ 대장균군에 대한 검사
- ▸ 냄새, 맛, 색도, 탁도, 수소이온 농도에 관한 검사

27. 먹는 물 관련영업의 시설개선 명령기간은?

28. 먹는 물 관련 영업자가 영업정지처분 받았을 때 사업장명, 처분내용, 처분 기간 등이 기록된 게시문은 사업장의 출입구나 다수인이 잘 보이는 곳에 부착해야 한다. 이 게시문을 게시하는 사람은?

29. 먹는 물 대장균군 기준은?

30. 먹는 물 수질 기준 항목은?

해설 경도는 아님에 주의, 방사성물질도 아님

31. 광역상수도 및 지방상수도 경우 정수장 수질검사에서 매주 1회 이상 측정하는 항목은?

해설 잔류염소는 아님

32. 간이상수도 및 전용상수도의 경우 매 분기 1회 이상 측정해야 되는 항목은?

해설 증발잔류물, 과망간산칼륨소비량은 아님에 주의

33. 먹는 샘물의 취수, 제조, 가공, 저장, 이송 시설에 종사하는 자에 대한 건강검진 기간은?

정답

1 국가 및 지방자치단체

2 환경부장관

3 환경부령

4 시장 · 군수 또는 자치구의 구청장

5 시 · 도지사

6 환경영향 조사

7 지방 환경 관서의 장

8 시 · 도지사의 허가를 받아야 함

9 시 · 도지사에게 신고해야 함

10 시 · 도지사에게 등록해야 됨

11 시 · 도지사에게 등록해야 됨

12 환경부장관

13 환경부장관

14 영업장소, 사무소, 창고, 제조소, 저장소, 판매소

15 환경부장관, 특별시장, 광역시장, 도지사

16 5000만원

17 환경부장관, 특별시, 광역시장, 도지사, 시장 · 군수 · 구청장

18 위생시험사, 위생사, 수질환경기사, 3년 이상 수질환경 또는 위생 분야에 관한 사무에 종사한 자

19 환경부장관

20 상시이용인구가 50인 이상이고 시장 · 군수 · 구청장

21 ① 서류검사 : 수출용 원자재를 수입하는 경우에는 제출된 신고서와 첨부 서류의 내용을 검토함

② 관능검사 : 성상, 색깔, 맛, 냄새 등에 의하여 판단

③ 정밀 검사 : 서류 검사 또는 관능검사에 해당하지 않는 것은 정밀 검사를 실시

④ 정밀 검사 : 물리적, 화학적, 세균학적 검사에 의함

⑤ 정밀 검사 : 국내에서 유통 중 검사에서 부적합 판정을 받은 것은 정밀 검사

⑥ 수송중 위생상 안전성에 영향을 줄 수 있는 사고가 발생한 것은 정밀 검사

⑦ 기타 환경부 장관 또는 환경 관리청장이 필요하다고 인정하는 것

22 3년

23 1년

24 1년

25 5년

26 ▸ 일반세균에 관한 검사

답 매주 2회

▸ 대장균군에 대한 검사

답 매주 2회

▸ 냄새, 맛, 색도, 탁도, 수소이온 농도에 관한 검사

답 매일 1회

27 1년

28 시 · 도지사

29 100ml 중 검출되지 않을 것

30 시안, pH, 잔류염소, 탁도 등

31 일반세균, 총대장균군, 증발잔류물, 암모니아성질소, 질산성질소, 과망간산칼륨소비량, 대장균(또는 분원성 대장균군)

32 일반세균, 총대장균군, 암모니아성 질소, 질산성 질소, 대장균(또는 분원성 대장균군), 냄새, 맛, 색도, 탁도, 잔류염소, 불소, 망간 및 알루미늄

33 6개월에 1회

폐기물 관리법

1. 지정 폐기물의 배출 및 처리상황 등에 필요한 조치를 강구하여야 하는 자는?

2. 폐기물 처리업의 업종 구분은?

해설 폐기물의 재활용 및 재생 처리업은 아님

3. 심한 불편을 주거나 공익을 해할 우려가 있다고 인정되는 경우 영업정지에 갈음하는 과징금은 얼마 이하이어야 하는가?

4. 폐기물 처리업자는 허가받은 날부터 2개월 이내에 어떤 2가지 조치를 해야 하나?

5. 처리이행보증금은 어느 법에 따르는가?

6. 폐기물을 매립한 후 일정기간동안 토지의 이용을 제한할 수 있다. 이 제한 기간 내에 포함되는 용도는?

해설 대통령령으로 정하는 기간 공원, 수목의 식재, 초지의 조성, 체육시설의 설치에 한정할 수 있다.

7. 폐기물 관리법 벌칙 중 3년 이하 징역이나 2000만원 이하 벌금에 처할 수 있는 경우 4가지는?

해설 폐기물을 수집, 운반, 보관, 또는 처리하여 주변 환경을 오염시킨 자는 2년 이하 징역이나 1000만원 이하 벌금에 처할 수 있는 경우임

8. 지정폐기물의 종류 6가지는?

해설 수소이온농도가 12.0 이상인 폐 알칼리는 틀린 답임

9. 폐기물 매립 시설은 사용종료 또는 폐쇄된 날부터 몇 년간 토지이용이 제한되나?

10. 폐기물 처리시설의 설치기준 5가지는?

11. 생활폐기물 관리 제외 구역으로 지정할 수 있는 지역은?

12. 생활폐기물 관리 제외 구역은 누가 지정하나요?

13. 시장 · 군수 · 구청장에게 신고하여야 할 사업장폐기물 배출 자는?

14. 폐기물의 인계, 인수에 대한 폐기물 간이 인계서를 작성하지 않아도 되는 항목은?

15. 폐기물의 인계, 인수에 대한 폐기물 간이 인계서를 작성하는 항목은?

16. 사업장 폐기물을 공동 처리할 수 있는 사업장 폐기물 배출자 6가지는?

해설 식품위생법상 식품 또는 첨가물의 제조업을 하는 자는 아님

17. 일반소각시설의 연소실 출구온도는?

18. 열분해시설의 연소실 출구온도는?

19. 고온소각시설의 연소실 출구온도는?

20. 고온용융시설의 연소실 출구온도는?

21. 일반소각시설은 바닥재가 몇% 이하 될 수 있는 소각시설을 갖추어야 하나?

22. 고온소각시설은 바닥재가 몇% 이하 될 수 있는 소각시설을 갖추어야 하나?

23. 열분해시설은 바닥재가 몇% 이하 될 수 있는 소각시설을 갖추어야 하나?

24. 고온용융시설은 바닥재가 몇% 이하 될 수 있는 소각시설을 갖추어야 하나?

25. 관리형 매립시설 설치 시 침출수의 유출 방지를 위해 고밀도 폴리에틸렌 또는 이에 준하는 재질의 토목 합성수지라이너를 사용하는 경우 두께는?

26. 관리형 매립시설 설치 시 침출수의 유출 방지를 위해 토목 합성수지 라이너 하부에는 점토, 점토광물 혼합토 등 점토류를 다져 투수계수가 어떻게 되도록 라이너를 설치하여야 하는가?

27. 폐기물 처리시설의 승인 신청 시 환경부 장관이 고시하는 환경성 조

사서에 첨부하는 시설은?

28. 폐기물 처리시설의 변경 시 처리용량의 얼마를 변경할 때 변경승인을 받아야 하나?

29. 폐기물 처리시설 설치자는 사용개시일 며칠 전까지 사용개시 신고서를 제출해야 하는가?

30. 폐기물 소각시설검사기관은?

31. 폐기물 처리시설의 설치 또는 유지관리가 설치기준 또는 관리기준에 적합하지 않다고 인정되는 경우 개선 또는 사용 중지 명령을 할 수 있는 각각의 기간은?

32. 폐기물 처리 관련업의 권리, 의무 승계 시 신고서류 제출 기한은?

33. 폐기물 처리 담당자 등의 교육은?

34. 폐기물 처리 담당자 등의 교육 과정 4종류는?

해설 일반 폐기물 배출자 과정은 아님

35. 폐기물 회수 등 조치대상제품에서 수질오염물질 등은?

해설 크롬 또는 그 화합물은 아님, 조직물류 등 부패나 변질의 우려가 있는 폐기물 이외의 폐기물도 냉동시설에서 보관하는 경우 5일간 보관가능하나 반입시점부터 냉동보관 하여야 함. 폐기물 재활용신고자의 임시보관시설은 냉동시설을 설치하여야 하며 5일간 보관가능하다. 의료폐기물처리업자는 인수한 폐기물은 5일 이내에 처리하여야 한다.

36. 폐기물처리에 관한 기본계획을 수립하고 그 계획의 변경여부를 몇 년마다 검토하나?

정답

1 국가

2 폐기물 수집, 운반업, 폐기물 중간 처리업, 폐기물 최종 처리업, 폐기물 종합 처리업

3 1억원

4 폐기물 처리 공제조합에의 분담금 납부, 폐기물의 처리를 보증하는 보험 가입

5 환경개선특별회계법

6 공장부지 조성

7 ① 기한 내에 감시를 위탁하지 아니한 자
② 영업정지 기간 중에 영업을 한 자
③ 검사를 받지 아니하거나 적합판정을 받지 아니하고 폐기물을 사용한 자
④ 개선명령을 이행하지 아니하거나 신용중지 명령을 위반한 자

8 수소이온농도가 12.5 이상인 폐 알칼리, 오니류(고형물 함량이 5% 이상인 것), 기름성분이 5% 이상인 폐유, 폐 페인트 및 폐 락카, 폐 합성수지, 2mg/L 이상의 PCB를 함유한 액체상태폐기물

9 20년

10 ① 사업장 일반폐기물 배출 자는 그의 사업장에서 발생하는 폐기물을 보관 개시일로부터 90일을 초과하여 보관해서는 안 된다.
② 지정 폐기물 수입, 운반 차량의 차체는 황색으로 도색하고 글씨의 색은 검은 색깔로 한다.
③ 고온 소각 처리 시 그 잔재물의 강열감량이 5% 이하가 되도록 하여야 한다.
④ 열분해시설로 처리 시 그 잔재물의 강열감량이 10% 이하가 되도록 하여야 한다.
⑤ 열경화성 폐합성수지는 소각하거나 최대직경 15cm 이하의 크기로 파쇄, 절단 또는 용융한 후 관리형 매립시설에 매립하여야 한다.

11 가구 수 50호 미만 지역

12 시장 · 군수 · 구청장

13 폐기물을 1일 평균 300kg 이상 배출하는 자

14 폐지, 고철

15 오니, 광재, 분재폐사, 도자기조각, 소각재, 안정화 또는 고형화 처리물,

폐 촉매, 폐 흡착제 및 폐 흡수제

16 ① 감염성 폐기물을 배출하는 자
② 건설기계관리법상 건설기계 정비업을 하는 자
③ 공중위생법상 세탁업을 하는 자
④ 동일한 기업집단의 사업장을 운영하는 자 및 동일 산업단지 등 사업장 밀집지역의 사업장을 운영하는 자
⑤ 자동차 관리법 규정에 의한 자동차 정비업을 하는 자
⑥ 사업장 폐기물이 소량으로 발생하여 공동으로 수집, 운반하는 것이 효율적이라고 시 · 도지사, 시장 · 군수 · 구청장, 지방환경관리청장이 인정하는 사업장을 운영하는 자

17 850℃

18 850℃

19 1,100℃

20 1,200℃

21 10%

22 5%

23 10%

24 1%

25 2.0mm 이상 1겹 이상 포설한다.

26 1초당 1천만분의 1cm 이하이고 두께는 50cm 이상

27 면적 10,000㎡ 이상 또는 용적 30,000㎥ 이상인 매립시설 및 1일 처리능력 100톤 이상인 소각시설

28 처리용량의 100분의 30 이상

29 10일 전

30 한국환경자원공사

31 개선명령 : 1년 범위 내, 사용 중지 명령 : 6개월 범위 내

32 30일

33 3년마다 실시

34 ① 사업장 폐기물 배출자 과정

② 폐기물 재활용 신고자 과정
③ 폐기물 처리업 기술요원 과정
④ 폐기물 처리시설 기술 담당자 과정

35 비소 또는 그 화합물, 수은 또는 그 화합물, 카드뮴 또는 그 화합물, 납 또는 그 화합물, 6가 크롬 또는 그 화합물, 시안화물, 폴리크로리네이티드비페닐, 유해 화학물질 관리법 시행규칙 별표1의 규정에 의한 유독물

36 5년

기관별 법률 행위

기 관	내 용
대통령령	위생사의 국가시험에 대한 사항 위생사 시험과목, 시험방법, 합격기준, 기타시험에 필요한 사항 소독업무, 보건관리 시·군·구가 지출할 경비의 2/3보조
보건복지 가족부장관	위생사 실시 판매목적으로 수입했을 때 신고 보건복지부령에 의해 예방접종기록을 작성 보관
식품의약품 안전처장	판매를 목적으로 하는 식품, 포장의 표시에 대한 필요한 기준 식품조사 처리업 허가 식육 등 수입판매업 신고 수입 신고필증 교부
시도지사	식품 접객업에 대한 영업시간을 제한 감염병 예방시설의 설치 검역 위원의 임명권자 먹는 물 공동시설 2인 이상 이용시 관리 먹는 샘물 제조업 허가

	정수기 신고 수처리제 등록 먹는 샘물 수입판매업 신고 먹는 물 수질 검사원 임명 먹는 물 관련 게시물 게시
시 · 군 · 구 청장	조리사의 면허 집단 급식소 설치, 운영하는 자 신고 단란, 유흥 주점 허가 감염병 건강 진단이나 예방 접종을 받을 것을 명함 정기예방 접종 실시 예방 접종 공고, 증명서 교부 예방 위원 임명권자 먹는 물 공동시설의 관리필요의 조치 생활 폐기물 관리 제외구역 지정
보건소 보건지소장	식중독 원인 물질을 찾아내기 위한 조사
국립검역소	식품위생 검사기관
환경부장관	먹는 물 수질관리 시책마련 먹는 샘물 광고금지 또는 제한 먹는 샘물 기준 규격 고시

법률 행위별 기한

내 용	기 한
제3군 전염병 진단신고 오수처리시설 현장조사 분뇨 등의 재활용신고서 제출 축산폐수 배출 시설 통지	7일
과태료 부과자의 의견 진술 예방 접종 고시 폐기물 처리 시설 신고	10일
과태료 처분에 불복 있는 자 폐기물 처리 관련업의 권리, 의무 승계 시 신고서 제출	30일
소독에 관한 교육 먹는 샘물 종사자 건강검진 폐기물 사용중지	6개월
폐기물 처리시설 개선명령 배출부과금 징수유예기간	1년
위원의 임기 자가 품질 검사 검사기록서 보관 소독실시 사항 기록	2년
식품 위생 검사 기관의 시험 기록물 보관 폐기물 처리 담당자 교육	3년

법률 위반에 따른 처벌

내 용	처 벌
주변 환경 오염	2년 이하 1000만원 이하
타인의 비밀 누설	3년 이하 1000만원 이하
의사가 감염병 환자 허위신고 허위 예방접종 증명 발급	200만원 이하
격리수용거절	300만원 이하
영업시간 제한 위반	5년 이하 징역 5000만원 이하
먹는 물 관련자 영업정지	5000만원
병육판매 위해식품 판매 유독기구 판매 기준 규격고시 없이 판매 영업허가 없이 영업	7년 이하 징역 1억원 이하
심한 불편 공익해할 우려	1억원 이하

선별 문제

01. 사업장 폐기물을 대상으로 하는 폐기물 처리업자는 폐기물의 방치를 방지하기 위하여 허가를 받은 날로부터 2월 이내에 어떠한 조치를 취하여야 하는가?

① 폐기물 처리 공제조합에의 분담금 납부
② 폐기물의 처리를 보증하는 보험 가입
③ 폐기물 처리 이행 보증금의 예치
④ 1, 2, 3의 조치를 취하여야 함
⑤ 답이 없다.

02. 폐기물 관리법 벌칙 중 3년 이하의 징역 또는 2000만원 이하의 벌금에 처할 수 있는 경우가 아닌 것은?

① 기한 내에 감시를 위탁하지 아니한 자
② 영업정지 기간 중에 영업을 한 자
③ 검사를 받지 아니하거나 적합판정을 받지 아니하고 폐기물을 사용한 자
④ 개선명령을 이행하지 아니하거나 신용중지 명령을 위반한 자
⑤ 폐기물을 수집, 운반, 보관 또는 처리하여 주변 환경을 오염시킨 자

해설 2년 이하의 징역 또는 1000만원 이하의 벌금에 처함

03. 폐기물 처리시설의 설치기준이 잘못된 것은?

① 사업장 일반폐기물 배출 자는 그의 사업장에서 발생하는 폐기물을 보관 개시일로부터 90일을 초과하여 보관해서는 안 된다.
② 지정 폐기물 수입, 운반 차량의 차체는 황색으로 도색하고 글씨의 색은 건은 색깔로 한다.
③ 고온 소각 처리 시 그 잔재물의 강열감량이 10% 이하가 되도록 하여야 한다.
④ 열분해시설로 처리 시 그 잔재물의 강열감량이 10% 이하가 되도록 하

여야 한다.

⑤ 열경화성 폐합성수지는 소각하거나 최대직경 15cm 이하의 크기로 파쇄, 절단 또는 용융한 후 관리형 매립시설에 매립하여야 한다.

해설 5% 이하가 되도록 해야 함

04. 사업장 폐기물을 공동(2이상의 사업장 폐기물 배출자)으로 수집, 운반, 보관, 처리할 수 있는 사업장 폐기물 배출자의 범위에 속하지 않는 것은?

① 감염성 폐기물을 배출하는 자
② 건설기계관리법상 건설기계 정비업을 하는 자
③ 공중위생법상 세탁업을 하는 자
④ 식품위생법상 식품 또는 첨가물의 제조업을 하는 자
⑤ 동일한 기업집단의 사업장을 운영하는 자 및 동일 산업단지 등 사업장 밀집지역의 사업장을 운영하는 자
⑥ 자동차 관리법 규정에 의한 자동차 정비업을 하는 자
⑦ 사업장 폐기물이 소량으로 발생하여 공동으로 수집, 운반하는 것이 효율적이라고 시 · 도지사, 시장 · 군수 · 구청장, 지방환경관리청장이 인정하는 사업장을 운영하는 자

05. 위생사의 면허자격 취득을 위한 위생업무에 속하지 않는 것은?

① 국가 공공단체 또는 국 · 공리의 위생시험기관에서 직무상 행하는 식품위생, 환경위생 및 위생시험에 관한 업무
② 식품위생법에 의한 식품위생관리인의 업무
③ 근로자의 보건관리에 관한 업무
④ 감염병 예방법에 의한 예방접종을 하는 업무
⑤ 감염병 예방법에 의한 소독업무를 보조하는 업무

06. 시 · 군 · 구가 부담할 경비가 아닌 것은?

① 감염병 예방시설에 관한 경비
② 예방위원에 관한 경비

③ 식수공급에 요하는 경비

④ 예방접종의 시행에 소요되는 경비

⑤ 격리병사에 소요되는 경비

07. 국고가 부담해야 될 경비가 아닌 것은?

① 예방접종약의 생산비

② 국력 예방시설에 관한 경비

③ 감염병 예방선전에 요하는 경비

④ 개인 요양소에서 소요되는 경비

⑤ 예방접종으로 인한 피해보상을 위한 경비

해설 보조할 경비임

08. 국고가 보조해야 될 경비가 아닌 것은?

① 감염병 예방시설에 요하는 경비의 1/2 이상

② 사립 3군감염병 요양소에서 소요되는 경비의 일부

③ 감염병 예방선전에 소요되는 경비

④ 한센병의 예방 및 진료업무를 수행하는데 소요되는 경비의 전액 또는 일부

⑤ 시 · 도가 부담할 경비의 1/2 이상

해설 부담할 경비임

09. 보건소장이 환자명부의 작성 및 보고의 규정에 따라 보고를 하여야 하는데 기간이 잘못된 것은?

① 제1군, 제4군 감염병, 탄저 : 신고 또는 보고받은 즉시

② 제2군, 제3군 감염병 : 매주 1회

③ 제2군, 제3군 감염병 중 2인 이상의 감염병 환자 발생이 역학적 연관성이 있는 것으로 의심되는 경우와 일본 뇌염 : 신고 또는 보고받은 즉시

④ 지정 감염병 : 매주 1회

⑤ 제2군, 제3군 감염병 중 2인 이상의 감염병 환자 발생이 역학적 연관성

이 있는 것으로 의심되는 경우와 일본뇌염 : 매주1회

해설 즉시임

10. 감염병 예방법에서 시장 · 군수 · 구청장이 건강진단 또는 감염병 예방에 필요한 예방접종을 받을 것을 명할 수 있는 범위에 속하지 않는 것은?

① 환자를 소독한 자

② 감염병 환자 등의 가족 또는 동거인

③ 감염병 발생지역에 거주하는 자

④ 감염병 발생지역에 출입하는 자로 감염의심이 있는 자

⑤ 감염병 환자 등과 접촉하여 감염의심이 있는 자

11. 검역위원의 직무에 해당하지 않는 것은?

① 감염병의 병원체 규명

② 감염병 병원체에 오염된 장소소독

③ 감염병 환자 등의 추적, 격리수용 및 감시

④ 감염원의 조사, 감염 경로의 추적 등 역학조사

⑤ 주민 계몽 및 위생교육

해설 예방위원의 직무

12. 예방위원의 직무가 아닌 것은?

① 감염병 환자 등의 관리 및 치료에 관한 기술 자문에 관한 사항

② 감염병 발생의 정보수집 및 판단

③ 역학조사에 관한 사항

④ 주민 계몽 및 위생교육

⑤ 감염병 병원체에 오염된 장소소독

해설 검역위원의 직무

13. 국가 및 지방자치단체가 감염병의 예방 등 방역 대책을 마련하기 위한 사업내용이 아닌 것은?

① 감염병의 예방 및 관리 대책의 수립
② 감염병 환자 등의 보호 및 진료
③ 감염병에 관한 교육 및 홍보
④ 감염병에 관한 정보의 수집, 분석 및 제공
⑤ 감염병 환자 격리
⑥ 감염병에 관한 조사, 연구
⑦ 감염병 병원체 검사, 보존, 관리 및 약제 내성 감시
⑧ 감염병 예방을 위한 전문 인력의 양성
⑨ 감염병 관리 능력 제고를 위한 국제적 연대 확보

14. 먹는 샘물 등의 수입 신고를 받을 때 검사 방법 중 잘못된 것은?

① 서류 검사 : 수출용 원자재를 수입하는 경우에는 제출된 신고서와 첨부서류의 내용을 검토함
② 관능 검사 : 성상, 색깔, 맛, 냄새 등에 의하여 판단
③ 정밀 검사 : 서류 검사 또는 관능검사에 해당하지 않는 것은 정밀 검사를 실시
④ 정밀 검사 : 세균학적인 검사에 한하여 실시
⑤ 정밀 검사 : 국내에서 유통 중 검사에서 부적합 판정을 받은 것은 정밀 검사를 실시
⑥ 수송 중 위생상 안전성에 영향을 줄 수 있는 사고가 발생한 것은 정밀 검사
⑦ 기타 환경부 장관 또는 환경 관리청장이 필요하다고 인정하는 것

해설 물리적, 화학적, 세균학적 검사에 의함

정답

1	2	3	4	5
④	⑤	③	④	④
6	7	8	9	10
⑤	④	③	⑤	①
11	12	13	14	
⑤	⑤	⑤	④	

위생사 실기

1. 환경위생학
2. 식품위생학
3. 위생곤충학

1. 환경위생학

온도, 습도, 기압 측정

최저, 최고 온도계의 경우 최고 기온은 14시이고, 최저 기온은 6시를 기준으로 하며, 최저 기온은 알코올 온도계에 의해, 최고 기온은 수은 온도계에 의해 측정한다. 최고 최저 온도계의 경우, 아래 부분은 수은이고 윗부분은 알코올이다. 수은은 -38에서 +356도까지, 알코올은 -78도에서 +78도까지 측정이 가능하다.

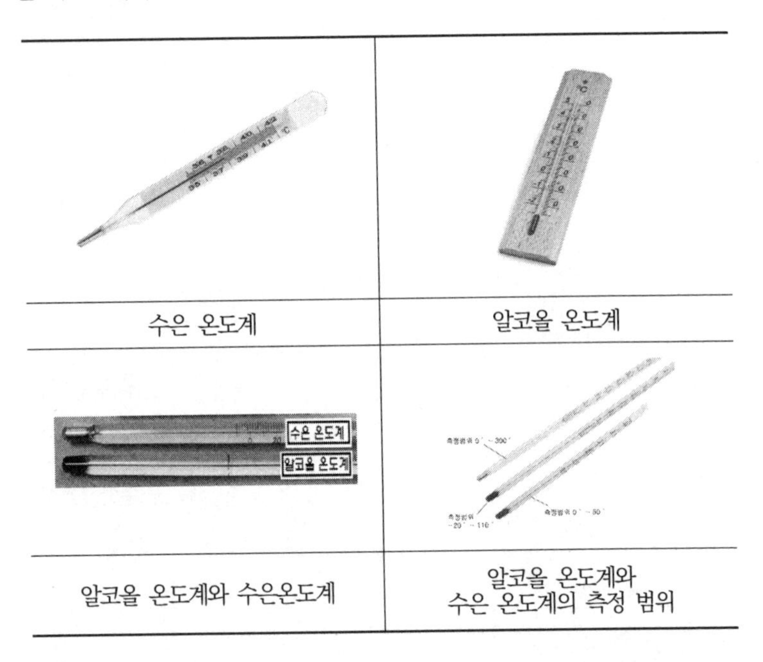

수은 온도계	알코올 온도계
알코올 온도계와 수은온도계	알코올 온도계와 수은 온도계의 측정 범위

기습을 측정하는 것은 아스만 통풍습도계이고, 건습 온도계는 건구

온도와 습구 온도의 차이를 이용하여 기습을 측정하는데 종이컵 같은 모양에 헝겊이 들어 있고, 여기에 수증기(증류수)를 넣도록 되어 있음이 이 기구의 구별점이다. 자기 온도계와 자기 습도계는 24시간 방안지 모양에 전기로 온도와 습도를 기록하는 기계이며 두 개의 차이는 자기 온도계의 경우 손잡이가 있다.

기압계의 경우 최대 기압은 9시와 21시에 측정하고 최소 기압은 3시 15시에 측정한다. 1기압은 수은주 760mmHg이다. 대표적으로 아네로이드 기압계가 있다.

모발 습도계는 polymeter라고 쓰고, 작살 모양의 표시에 20, 10, 0 숫자 표시로 구별한다. 모발의 습도 및 인장력을 기준으로 습도를 측정하는 기구이다. 보통 수은은 땀이나 오줌, 분변을 통해 배설되지 않고 모발을 통해 배설된다.

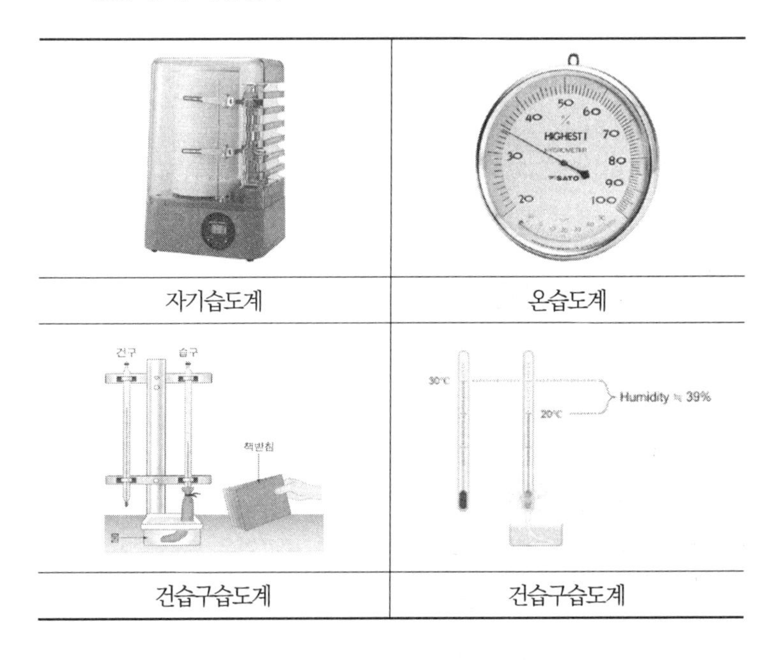

자기습도계	온습도계
건습구습도계	건습구습도계

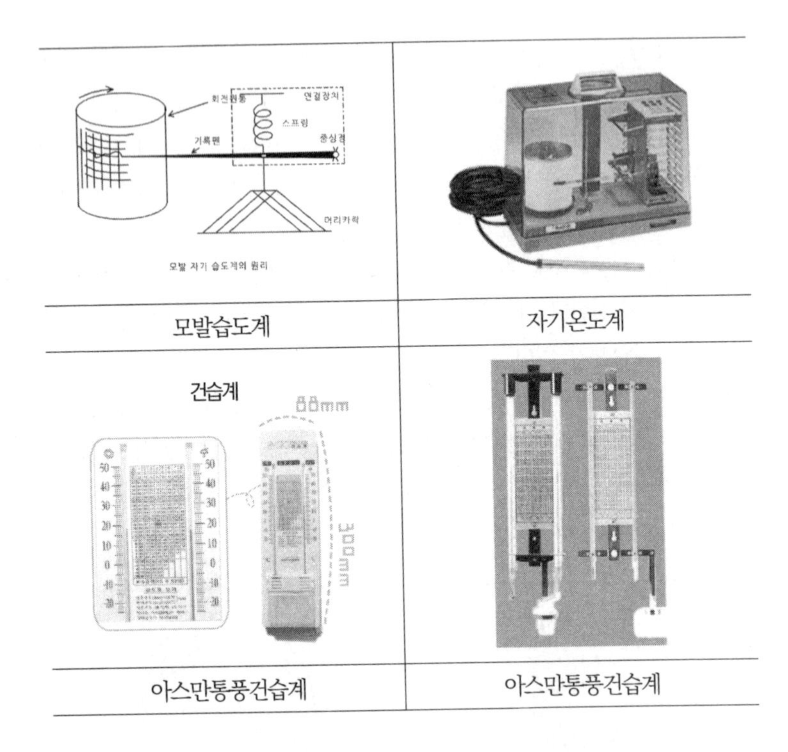

모발습도계	자기온도계
아스만통풍건습계	아스만통풍건습계

기류, 복사열 측정

카타 온도계는 100℉에서 95℉까지 하강하는 동안에 배출되는 열량을, 섭씨로는 37.8℃에서 35.0℃까지 하강하는 동안에 배출되는 열량을 4~5회 측정한 후 평균치를 구하는 것이다. 상부온도에서 하부온도까지 내려가는 소요시간은 3~5회 반복한 후 평균을 낸다. 카타온도계의 상수가 120이고 소요시간은 10초이면 냉각력은 120/10=12이다. 실내 기류를 측정하는 용도로 쓰인다. 아래 부분에 구부가 있으나 흑구온도계와는 다르다. 단위는 milical/cm^2/sec(열량)이다.

습 카타 온도계는 젖은 헝겊으로 복사, 대류, 증발에 기인하여 냉각력 측정 시 사용하고, 건 카타 온도계는 복사, 대류에 기인하여 냉각력 측정 시 사용하며, 특히 풍속 측정 시 사용한다.

흑구 온도계는 복사열을 측정하는 기구이고 기류에 관여하며, 흑구는 구리판으로 두께가 0.5mm(=1/2mm)이고, 사용하는 온도계는 그 눈금이 100~150℃인 막대온도계이다. 마개는 콜크 마개이고, 흑구 표면은 검은색으로 불투명 에나멜 칠이 되어 있으며, H. M. Vernon이 고안하였다. 보통 15~20분 방치하여 측정한다.

카타온도계	로빈슨 풍속계
흑구온도계	풍차풍속계

기류는 실내기류와 실외기류로 구분하여 측정할 수 있는데, 실내 기류를 측정하는 기구는 카타 온도계가 있고, 실외 기류를 측정하는 기

구에는 풍차풍속계, 다인스(Dines) 풍력계, 열선풍속계, 로빈슨(Robinson's) 풍속계 등이 있다.

실외 기류의 측정 범위를 보면, 풍차풍속계의 경우, 1~1.5m/sec 이고, 다인스 풍력계의 경우, 20m/sec이며, 열선풍속계의 경우 보통 1.5m/sec 이하인데 실제로는 0~50m/sec로 다양하다.

실내 기류를 측정하는 카타 온도계의 측정 시작점의 조건은 100℉이다. 카타 온도계의 측정 눈금은 100℉에서 150℉까지이다.

생체 한난 계는 36.5℃로 유지한 구부 표면의 단위 면적으로부터 복사, 대류, 및 증발에 의하여 단위시간에 방출하는 열량을 측정, 측정 시 노출시간은 15분이다.

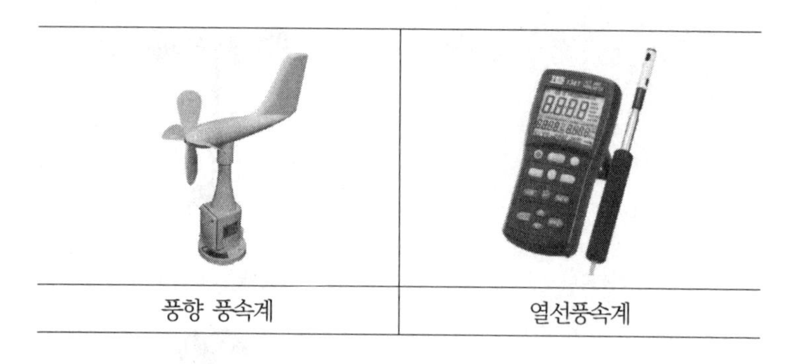

풍향 풍속계	열선풍속계

불쾌지수 측정

실내 적정기온은 18±2℃이다. 안정 시 쾌감 대의 기온도 18±2℃이고, 기습은 40~70%이다. 쾌적 도표에서 쾌적 선은 실내 인원의 95% 이상이 쾌적감을 느낄 수 있는 감각온도인데 동계에는 66℉이고, 하계에는 71℉이다.

불쾌지수(discomfortable index)를 구하는 공식은 [불쾌지수=(건구온도+습구온도)×0.72+40.6]이다. 10% 정도의 사람들이 불쾌감을 느끼는 불쾌지수는 70이고, 50% 정도의 사람들이 불쾌감을 느끼는 불쾌지수는 75이며, 85% 정도의 사람들이 불쾌감을 느끼는 불쾌지수는 80이고, 모든 사람들이 견딜 수 없는 상태의 불쾌지수는 85이다.

백엽상의 측정 높이는 실외인 경우 1.2~1.5m이고, 실내인 경우 1.5m인데 보통 일반 온도계인 수은 온도계를 사용한다. 하지만, 이상 저온 측정 시에는 알코올 온도계를 사용 한다. 구부의 주위 온도가 계속 치환되고 있어야 하고, 주위 공기가 외부와 복사영향을 받지 않도록 하여야 한다.

온열평가 온습도계는 2차 대전 당시 열대 지방에서 작전하는 미군 병사들에 대한 고온 장애 방지를 위한 고안 장치로서, 온열평가지수(WBGT, Wet Bulb Globe Temperature Index)를 측정한다. 태양 복사열의 영향을 받는 실외 환경을 평가하는데 사용하는 감각 온도 대신 사용하는 것이다.

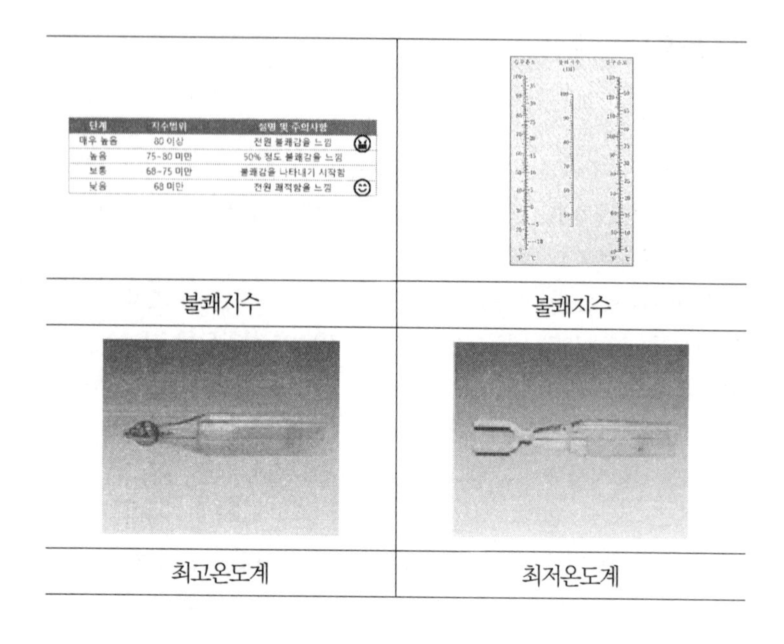

단계	지수범위	설명 및 주의사항
매우 높음	80 이상	전원 불쾌감을 느낌
높음	75~80 미만	50% 정도 불쾌감을 느낌
보통	68~75 미만	불쾌감을 나타내기 시작함
낮음	68 미만	전원 쾌적함을 느낌

불쾌지수

불쾌지수

최고온도계

최저온도계

분진 측정

데포지트 게이지(deposit guage)는 강하 분진을 측정하고, 일정한 장소에서 1개월간 측정하며, 시료 채취 시간은 1시간(= 60분)이고, 이끼 발생 즉, 조류 발생을 방지하려고 철망을 설치한다. $CuSO_45H_2O$를 사용하여 측정하는데 측정 높이는 1.2m이다.

진애 측정기(a dust counter)에는 충격 식 진애 측정기인 임핀저(impringer)가 있는데, 관성 충돌의 원리를 이용한 것이고, 이 외의 진애 측정으로는 액체 표집법 등이 있다.

고속 공기 채취기(high volume air sampler)는 여과지 홀더, 공기 흡인 부, 유량 측정 부로 구성되었는데, 유량 측정 부에는 지시 유량계가 위치하고 있다. 부유 분진의 측정에 사용하고, 중량 농도 측정에 사용되며, 성분 분석 시료의 포집 시 사용된다. 시료 채취 시간은 24 시간이고, 흡인 유량은 200~400L/min이다. 채취 가능한 분진의 크기는 0.1~100um이다.

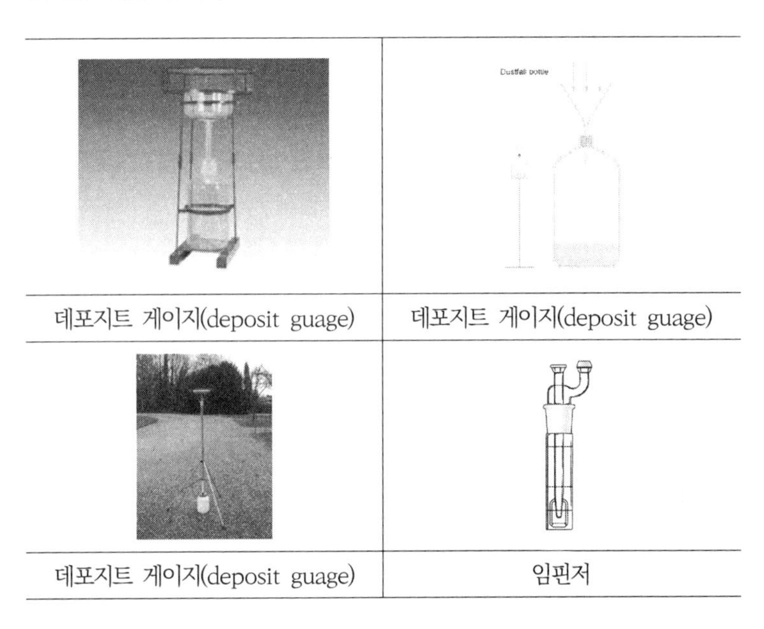

데포지트 게이지(deposit guage)

데포지트 게이지(deposit guage)

데포지트 게이지(deposit guage)

임핀저

저속 공기 채취기(low volume air sampler)는 흡인용 펌프, 분립 장치, 여과지 홀더, 유량 측량부로 구성되어 있다. 시료 채취 기간은 1주일, 2주일, 또는 2개월이고, 질량농도를 구하는데 사용한다. 흡인 유량은 2~30L/min이다. 10um 이하의 입자상 물질, 또는 금속 등의 성분 분포에 이용되고 있다.

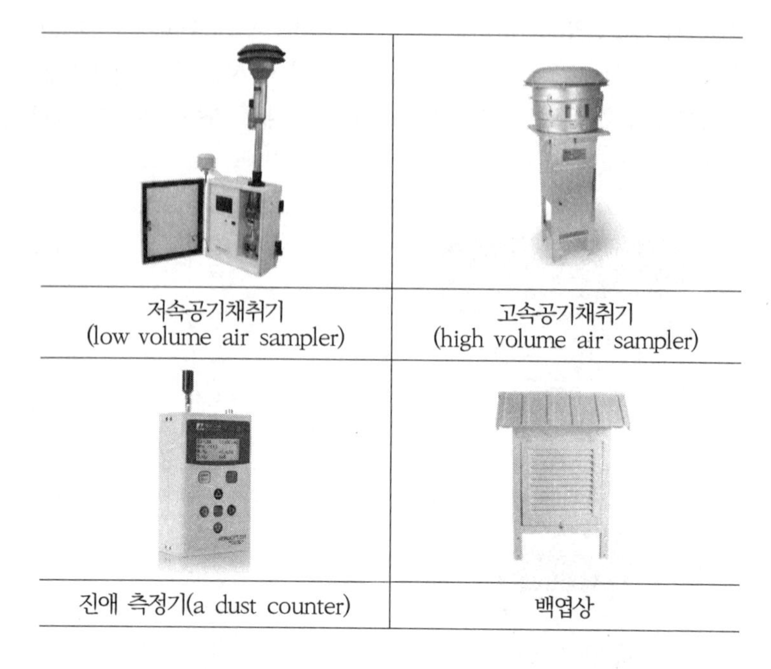

저속공기채취기 (low volume air sampler)	고속공기채취기 (high volume air sampler)
진애 측정기(a dust counter)	백엽상

가스 측정

CO_2 검지관법과 CO 검지관법

구분	CO_2 검지관법	CO 검지관법
검지 관 층 변색 모습	청자색이 옅은 보라색으로 변색	녹황색이 청자색으로 변색
농도 계산	탄산가스 농도 표에 의해	일산화 탄산가스 농도 표에 의해
측정 항목	CO, CO_2, SO_2, H_2S, mist	CO
측정 방법	검지관법, 수산화바륨($Ba(OH)_2$)법	검지관법, 오 산화 요오드법, 홉 잘 라이트(hopzalite)법
특이 사항	실내 오염도 측정의 지표 (서한도 0.1% 이하, 1000ppm 이하)	자동차 배출가스 주원인 (탄소성분의 불완전 연소 시 발생)
펌프와 연결 부위	펌프에서 송곳처럼 튀어나온 부위	펌프에서 송곳처럼 튀어나온 부위
검지 관의 검지 제	CO_2를 측정 하고자 하는 검지관의 검지 제는 150~250 메시(mesh) 크기의 알루미나 겔의 알맹이를 티몰프탈레인(thymolphthalein)을 넣은 수산화나트륨(NaOH) 용액을 흡착시켜 측정한다.	-

NO_2 (이산화질소) 검지관법

구분	NO_2(이산화질소) 검지관법
검지 관 층 변색 모습	황색이 녹색으로 변색
농도 계산	이산화질소 가스 농도 표에 의해

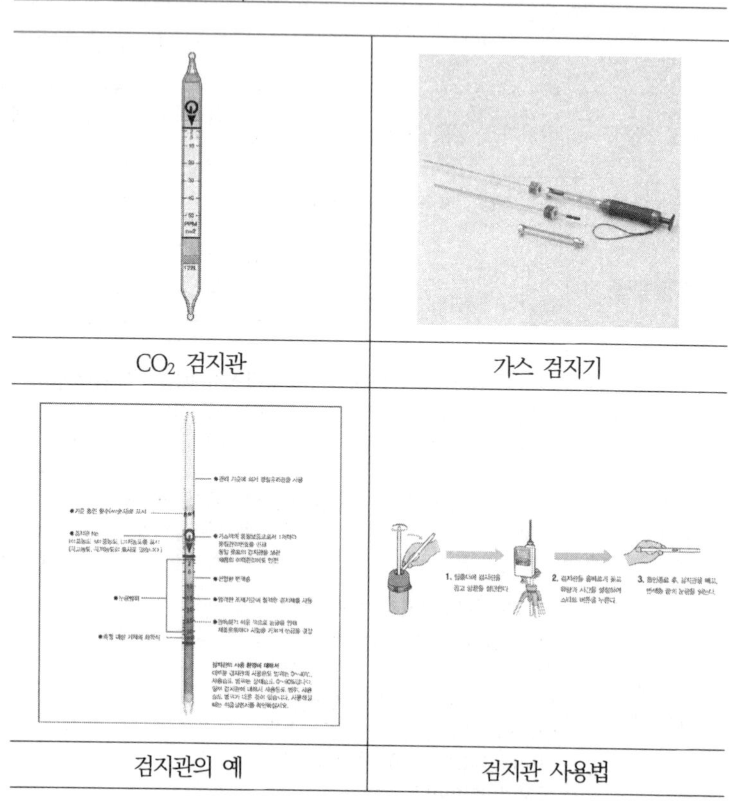

CO_2 검지관 | 가스 검지기

검지관의 예 | 검지관 사용법

낙하세균, 진공, 경사 등의 측정

낙하세균 측정은 낙하법에 의해서 실시하고, 이는 코호(R. Koch)에 의해 고안되었다. 한천 평판 배지를 만들어 굳힌 페트리디쉬 2~3개를 검사 지역에서 5분간 정치 후 37℃에서 48시간 배양하여 세균 집락수를 세는 방법이다.

진공 펌프 내 구조물들에는 온도계, 가스 입구, 압력계, 수면계, 평형 조정나사, 주수구(注水口) 등이 있다. 경사 마노메타는 먼지의 유속 측정에 사용한다.

열섬효과(heat island effect)는 도시가 농촌보다 열 보존 능력이 2~5℃ 정도 큰 현상으로서 여름에서 초가을 밤에 주로 발생한다. 풍배도는 풍속을 16 방향으로 표시한 그림을 말한다.

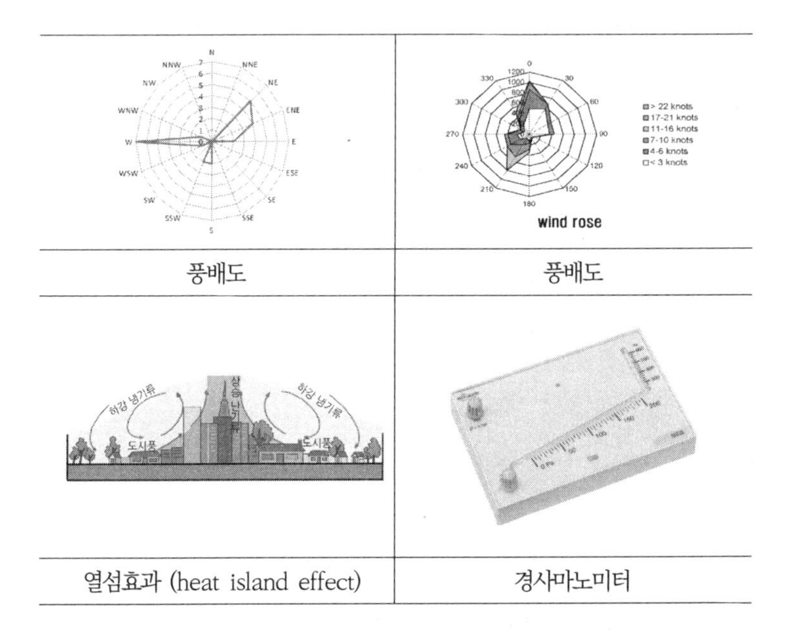

풍배도 | 풍배도

열섬효과 (heat island effect) | 경사마노미터

매연 측정

링겔만 스모그 챠트(Ringellman smoke chart)는 매연 측정 표인데, 매연 2도일 경우 이 표에 의하면, 백색 부분의 폭은 7.7mm, 흑색 부분의 폭은 2.3mm이고, 백색 부분이 60%이며, 흑색 부분은 40%가 된다. 측정 결과는 0도, 1도, 2도, 3도, 4도, 5도, 6도 즉, 7단계로 나타난다.

연돌에서 측정자와의 거리는 16m이고, 측정자는 연기 흐름과 직각 방향에서 측정해야 하며, 햇살을 등지고 위치해야 한다. 측정자와 연돌과의 거리는 30~40m이고, 연돌 출구 30~45cm떨어진 부분을 관측하며, 매연 농도 표는 측정자와 16m 위치에 배치하여서 10초 간격으로 여러 번 측정한다.

세류현상(다운워시, down wash)이란 굴뚝 수직 배출 속도에 비해 평균 속도가 크면 플륨(plume)[1])이 굴뚝 아래로 흩날리게 되는 현상을 말하는데, 이에 대한 대책은 배출 속도를 부는 풍속의 2배 이상이 되게 하면 된다.

공동현상(다운 드래프트, down draft)는 굴뚝 높이와 비교할 만한 건물이 있으면 건물 때문에 난류가 발생하여 건물 후면에 플륨이 형성되는 현상을 말하는데, 이에 대한 대책은 굴뚝 높이를 주위 건물의 2.5배 이상 되게 하면 된다.

1) 플륨(plume)이란 연기나 수증기 등이 피어오르는 기둥을 말한다.

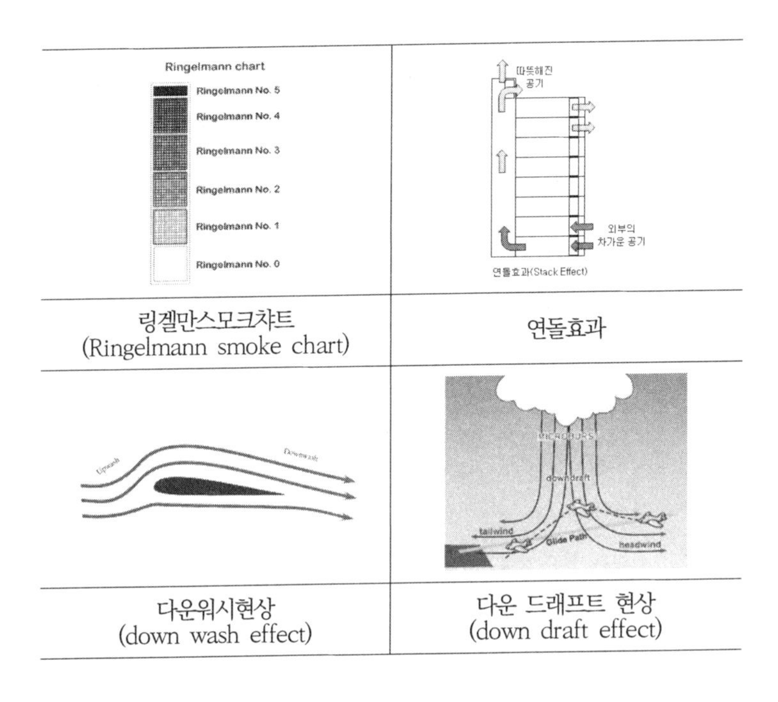

링겔만스모크챠트 (Ringelmann smoke chart)	연돌효과
다운워시현상 (down wash effect)	다운 드래프트 현상 (down draft effect)

집진 시설들

집진 시설에는 원심력 집진기, 여과 집진기, 세정 집진기, 전기 집진기, 관성력 집진 장치, 중력 집진 장치 등이 있다.

원심력 집진기(cyclone)은 원심력을 이용하는 것이고, 여과 집진기(bag filter)은 여과 백을 이용하며, 세정집진기(scrubber)는 유량 속에 수분 및 약품을 충진 하여 가스를 수세하는 형태이고, 전기 집진기(corell filter)는 고압 전기 장에 통과시켜서 정전기를 이용하는 것인데 전기 집진기의 경우 0.05um의 미립자까지 99% 이상의 효율을 가진 집진기가 된다.

관성력 집진 장치는 방해 판을 가운데 설치하여 놓은 장치이고, 중력 집진 장치는 먼지 가스 입구에서 충진 가스가 출구로 나가다가 중간에 구멍 뚫린 먼지 호퍼를 이용하여 집진하는 장치이다.

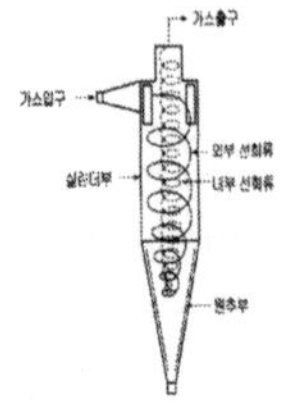	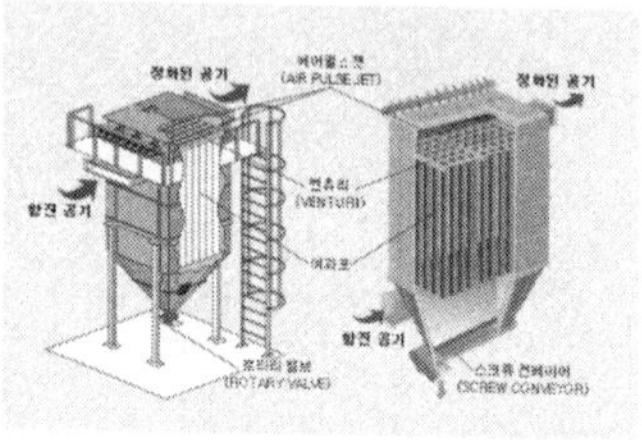
원심력집진기	여과집진기
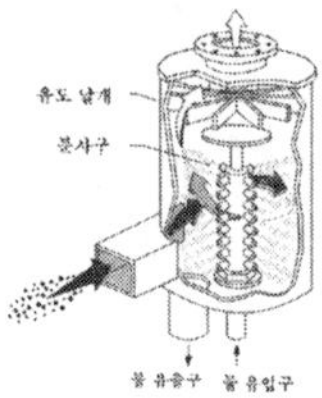	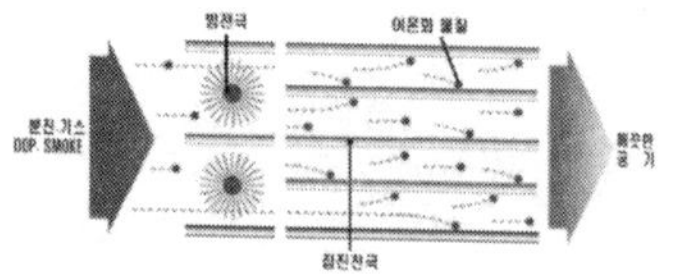
세정집진기	전기집진기
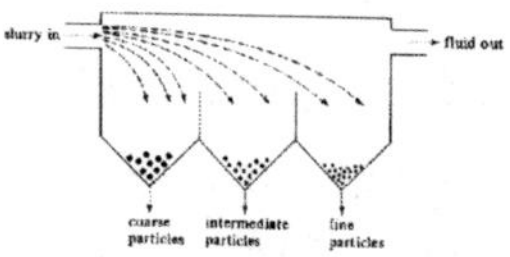	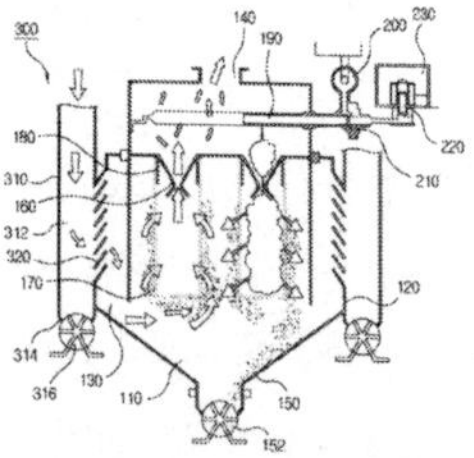
중력집진장치	관성력을 이용한 집진장치

오염물질 분석

광화학 반응에 의해 형성되는 2차 오염물질 농도 변화 곡선에서 왼쪽 봉우리에서 오른쪽 봉우리 순으로 NO_2→HC→Aldehyde→O_3 순이다. 1차 오염물질인 NO_X, HC 유기물 등에서, 2차 오염물질인 O_3, PAN, H_2O_2, HCHO 등으로 가는 변화해 가는 것은 자외선에 의해서이다.

오염 물질 분석 측정 장비에는 가스 크로마토그래피(GC, gas chromatography)와 흡광 광도계(AA, absorption spectrometer analysis) 등이 있다. 가스 크로마토그래피는 운반 가스에 의해 분석하는데 구성 순서는 운반 가스, 압력 조절부, 시료 도입부, 분리 관, 검출기 순이다. 흡광광도계는 광원에 의해 분석하는데, 구성 순서는 광원 부, 시료 자원 부, 단색 화부, 측광 부 순이다. 흡관광도계는 파장 범위의 빛만을 선택하여 발색시켜 시료를 통과시키고 광전 측광으로 흡광도를 측정하는 장비이다.

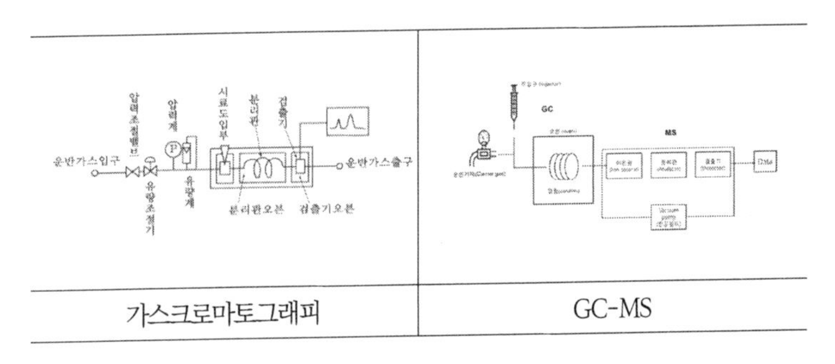

가스크로마토그래피	GC-MS

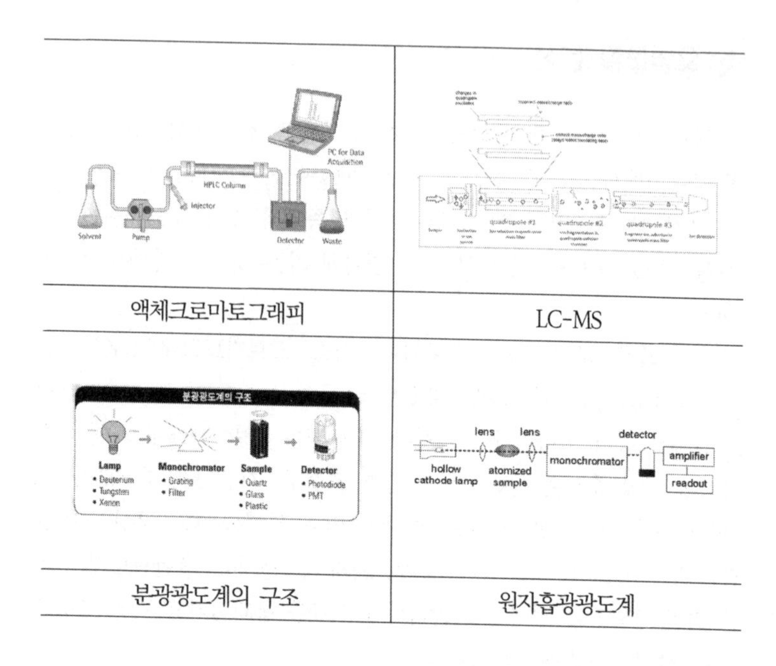

액체크로마토그래피	LC-MS
분광광도계의 구조	원자흡광광도계

질소산화물 분석

질소산화물 가운데 대기 중에서 가장 많이 존재하는 것은 NO, NO_2이다.

질소산화물 비교

구분	특징
NO	고온으로 연소 시 발생되며 헤모글로빈 혈색소와 산소 결합력이 일산화탄소보다 강한 질소화합물임 무색, 무취, N-Hb으로 산소결핍 유발함
NO_2	적갈색, 자극성, NO보다 기관지 영향이 강하다
N_2O	마취제, 웃음 가스(smile gas)
NO_3	질산염으로 질소가스의 최종산물

대기 오염 물질

대기오염 물질 중에 액체입자인 것은 미스트이다. 대기오염물질에는 검댕(smoke), 퓸(fume), 안개(fog), 미스트(mist) 등이 있는데, 미스트는 대기 오염 물질 중 액체입자이고, 안개는 대기 오염 물질이 아닌 액체 입자이다.

먼지 측정

먼지 측정은 선택적 검출기를 이용하여 적외선 흡수량의 변화를 측정하여 분석하는데, 특정 성분 농도를 구함으로 가능하다. 먼지측정기의 구성 순서는 먼지 포집 부, 가스 흡입 부, 흡입 유량 측정 부 순이다. 먼지 측정에 대한 도표의 순서를 보면, 드레인 포집기, SO_2 흡수병, 미스트 제거 병, 진공 펌프, 마노미터, 가스미터 순이다.

미세 먼지 측정기에는 앤더슨 샘플기(AA, anderson sampler)가 있는데, 실내 미세 먼지를 측정할 때 사용한다. 이에 의해 측정되는 측정치를 보면, 기관지에 침착되기 쉬운 단계는 No. 4에서부터 No. 5인 1.1~2.1u이다.

앤더슨 샘플기 (Anderson sampler)	앤더슨 샘플기 (Anderson sampler)

환기량 측정

소요 환기량(m^3/hour)은 실내 이산화탄소량(실내 이산화탄소 서한량 -이산화탄소의 실외 정상 농도)이다. 실내 이산화탄소 서한량은 0.1% 또는 1000ppm이고, 이산화탄소의 실외 정상 농도는 0.03%이다.

실내 이산화탄소량은 보통 20~22L, 수면 시에는 12L이다. 1인당 공기 소요량은 $30m^3$/hour이다. 환기 횟수 측정값은 '실내 사람 수 1인 당 필요한 공기용적'에다가 '실내 공기 용적'을 나눈 값이다. 환기가 가장 좋은 창문은 천장 가까이에 있는 창문이다. 중성대의 위치는 천장 가까이에 있는 것이 좋다.

조도 측정

조도계는 조명도를 측정하는데, 광전지 조도계는 아황산동이나 셀렌이 광전지에 의해 빛을 전류로 바꾸어 조도를 측정하는 것으로, 위에서 아래로의 장치 순서는 유리판, 금속 막, 셀렌, 철판 순이다. 0.1Lux 이하의 낮은 조도는 측정이 불가능하다.

조도계는 기계에 foot candle이라는 문구가 있는 것으로 구별할 수 있다. 이것은 단위 면적(m^3)에 1Lumen의 광속이 투사되는 밝기인데, 1Lux 는 0.093foot candle이 된다. 이것은 1촉광의 광원으로부터 1m 거리의 밝은 정도이다. 조도계의 시도 보정기간은 6개월이고, 조도 측정 시에는 그림자, 빛의 현 휘[2], 휘도에 주의해야 한다.

---

2) 현 휘는 햇빛이나 조명기구로 인해 바라보는 입장에서 눈이 부시는 현상으로 '눈부심'이라고 할 수 있고, 영어로는 글레어(glare)라 한다.

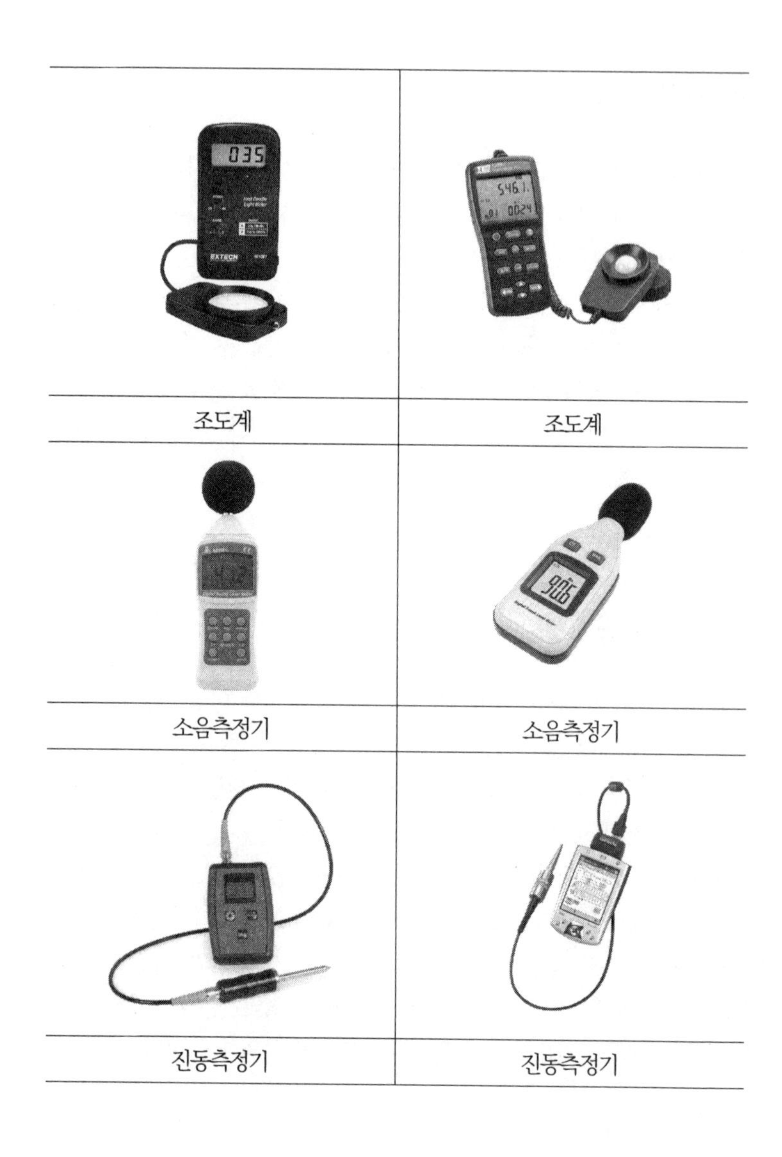

조도계	조도계
소음측정기	소음측정기
진동측정기	진동측정기

소음 측정

소음계의 측정 단위는 dB[3](A)이다. 감각 특성은 dB(A), 녹음 특성은 dB(C)이다. 음압도 측정 시 A, B, C 곡선 중 C 곡선은 85dB 이상에서 측정이 가능하다. 소음계의 위치는 지상에서 1.2m이고, 측정자 간의 간격은 0.5m 즉 50cm 정도 떨어지는 것이 좋다

소음 측정 시 측정 분석 및 사용 방법을 보면, 지면에서 1.2~1.5m 높이에서 측정하고, 장애물에서 3.5m 이격된 거리에서 측정하며, 간헐적 소음, 불규칙한 소음은 10회 측정 중 최고 소음의 평균치를 산출한다. 옥외 측정 시에는 풍속이 2m/sec 이상일 때는 마이크로 폰 끝에 방풍 망을 설치한 후 측정하고, 풍속이 5m/sec 이상일 때는 측정이 금지된다.

소음이 1초 이상 간격으로 발생되는 충격 소음일 경우 1분 동안의 발생 횟수를 측정한다. 계기 상 최고치를 30회 읽어 평균치를 산출한다. 5분 이상 측정하고, 5초 간격으로 50회 판독한다. 변동 폭이 5dB 이내일 경우 소음도 크기순으로 10개를 산술 평균한 소음도로 산출한다.

측정 소음, 진동 도가 배경 소음, 진동 도보다 3~9dB 차이가 나는 경우, 보정 표에 의해 보정한 후 대상 소음과 진동 도를 결정한다. 암소음이 70dB(A)이고 대상 소음이 67dB(A)일 때 보정 대상 소음은 64dB이다.

---

3) 관이음 재료 중의 하나이다. 강관의 경우 이음쇠로는, 관의 방향을 변경시키는 이음쇠인 엘보(elbow), 밴드(bend)가 있고, 관의 방향을 나누어 주는데 사용하는 이음쇠인 티(tee), 크로스(cross), 와이(Y) 등이 있으며, 관과 관 및 부속 기기를 연결하는 이음쇠인 소켓(socket), 니플(nipple), 유니온(union) 등이 각각 있다. 그리고 지름이 다른 관을 서로 연결하는 이음쇠로는 이경 소켓과 부싱(bushing), 레듀셔(reducer) 등이 있다.

진동 측정

진동계의 측정 단위는 dB(V), mm, m/sec^2 등이다. 진동이란 흔들림의 속도이고, 진동의 크기를 나타내는 요소들에는 변위(m), 속도(m/sec), 가속도(m/sec^2) 등이 있으며, 충격 요인은 제외된다. 소음 및 진동 측정 기구의 측정 기준과 단위를 혼동할 수 있는데, 소음의 측정 기준과 단위는 50dB(A), 진동의 측정 기준과 단위는 60dB(V)이다. 한편, 진동 측정 범위는 60~120dB(V)이다.

채광 및 조명

채광이 가장 위생적인 것은 동일 면적일 경우 횡으로보다 종으로 길게 하는 것으로 자연 조명이 좋다. 채광으로 인한 일광의 작용으로는 피부를 튼튼하게 하고, 장기 기능을 증진시키며, 비타민 생성으로 구루병을 예방하고, 살균 작용이 있다는 점 등이다.

입사각은 27도 이상이고 클수록 실내가 밝으며, 개각도 4~5도 이상이고 클수록 실내가 밝다. 가장 위생적인 조명방법은 간접조명이고, 가장 경제적인 조명방법은 직접조명이며, 경제적인 면과 위생적인 것을 고려한 조명방법은 반간접 조명이다.

수원

가장 안전한 수원은 보호 방수벽을 갖춘 지하수이고, 지하층에 굴착하여 지하수를 얻는 방법은 관정[4]이며, 펌프의 양정이 양호한 것은 경사가 완만한 것이 좋다.

물을 여과 급수함으로 장티푸스 환자가 급속하게 준 것을 mills-reincke 현상이라고 한다. 이 현상은 1893년 Mills가 매사추세츠(Massachusetts)에서 물을 여과 급수한 결과 장티푸스 환자 및 사망자가 감소함을 발견하고, 같은 해 독일의 Reincke가 같은 현상을 발견한 이후, 수돗물 정화에 의하여 장티푸스와 이질이 감소되고 설사, 장염 등이 감소되어 일반 사망률이 감소되는 현상을 이렇게 부른다.

상수도

상수도에서 널리 쓰는 수원으로는 댐, 호수 등 지표수이고, 물 소독에 대한 가장 이상적인 위치는 배수지이다. 수도관의 소형 관과 대형 관을 연결할 때 쓰이는 관은 레듀셔 관[5]이다.

상수 처리 단계는 '취수→도수→정수→송수→배수→급수[6]' 순이며,

---

4) 둥글게 판 우물 또는 둘레가 대롱 모양으로 된 우물을 말한다.

5) 관이음 재료 중의 하나이다. 강관의 경우 이음쇠로는, 관의 방향을 변경시키는 이음쇠인 엘보(elbow), 밴드(bend)가 있고, 관의 방향을 나누어 주는데 사용하는 이음쇠인 티(tee), 크로스(cross), 와이(Y) 등이 있으며, 관과 관 및 부속 기기를 연결하는 이음쇠인 소켓(socket), 니플(nipple), 유니온(union) 등이 각각 있다. 그리고 지름이 다른 관을 서로 연결하는 이음쇠로는 이경 소켓과 부싱(bushing), 레듀셔(reducer) 등이 있다.

'취도정송배급'으로 암기한다. 정수 처리 단계는 응집→폭기→침전→여과→소독 순이다.

수질 검사

응집제 주입량을 결정하는 기구로는 '쟈르 테스터(jar tester)'를 사용한다. 유리 잔류 염소량은 5초 이내, 결합 잔류 염소는 5분 후 정색 반응에 의하여 측정한다.

잔류염소는 결합 잔류 염소와 유리 잔류 염소를 합한 값이다. 수질의 맛, 냄새 측정 시 가온 온도는 40~50도이다. 채수기에는 '하이드로(hydroth) 채수기'와 '무균 채수병' 등이 있다.

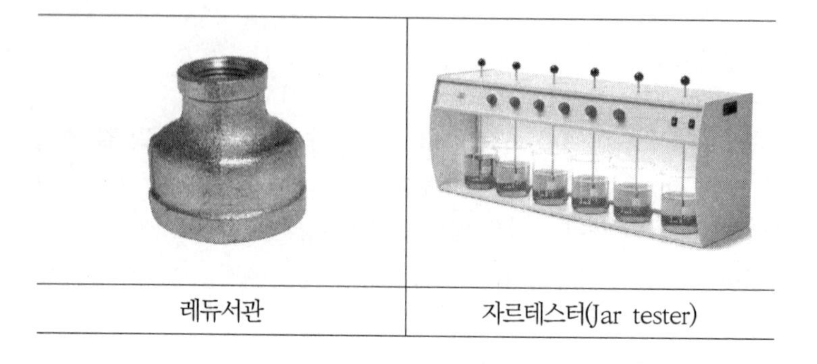

레듀서관	자르테스터(Jar tester)

6) 상수 처리 단계는 '취도정송배급'으로 암기한다.

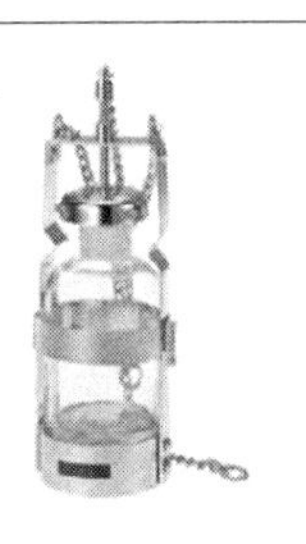	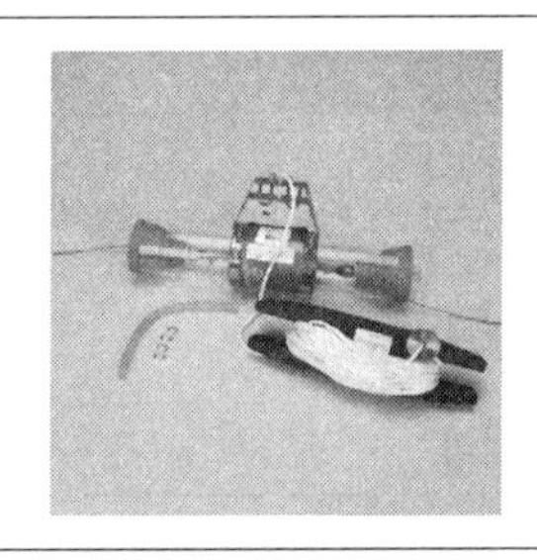
하이드로(hydroth) 채수기	하이드로(hydroth) 채수기

무균 채수병	레듀서관

수질 검사에서 최종 종말점 색깔들

분석법	시약	적정 색깔
암모니아성질소(NH_3-N) 측정	네슬러 시약	적갈색
과망간산 칼륨($KMnO_4$) 소비량 측정	-	미홍색
염소이온 측정	-	미등색
총 알칼리도 측정	-	자홍색
염소이온 측정	질산은 ($AgNO_3$)	-
잔류 염소 측정 중 비색법	OT[7]시약	황색이나 황갈색
화학적 산소 요구량(COD) 측정	산성	미홍색
	알칼리성	무색
탁도 검사	황산히드라진과 헥사메틸테트라 아민	-
색도 검사	염화백금산 칼륨 표준액	-

7) O-Toluidine

수질 검사

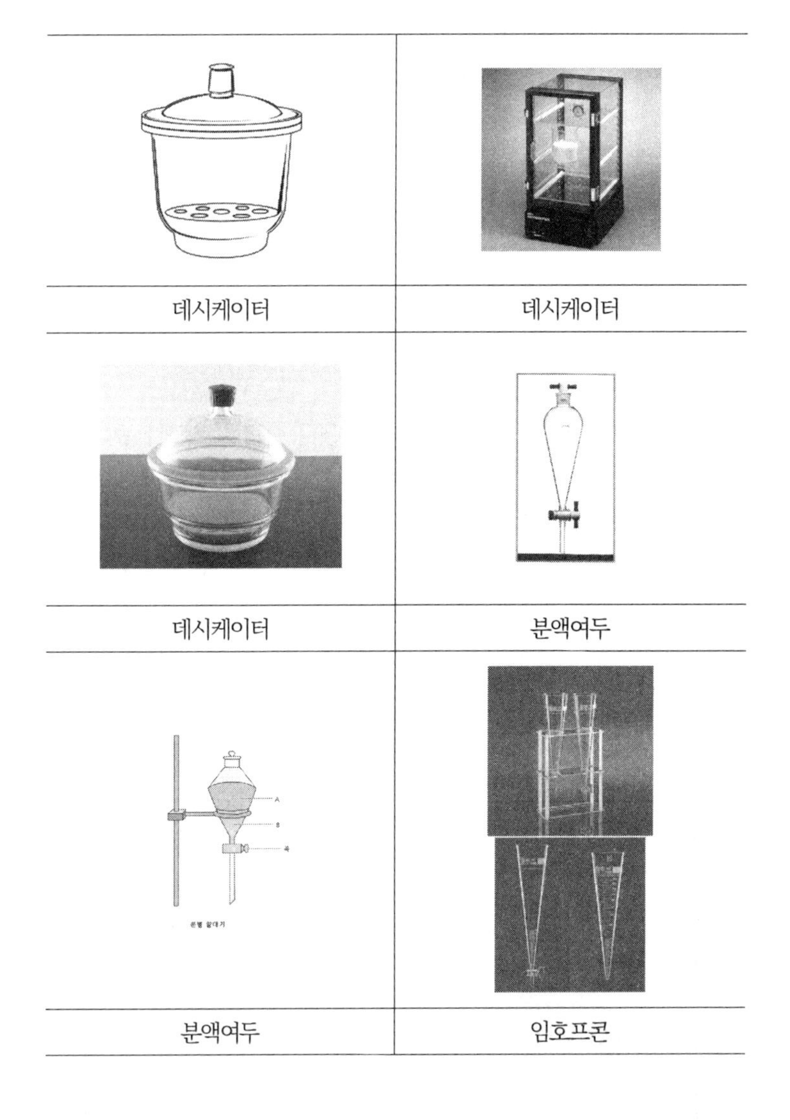

채수 위치는 수심이 2m 미만일 경우에는 수심의 1/3지점이고, 수심이 2m 이상일 경우에는 수심의 1/3 지점과 2/3 지점이다. 수분 측정 건조기는 데시케이터(desiccator)인데 이곳에 넣는 건조제는 '염화칼슘'과 '황산칼슘' 등을 사용한다. 고체와 액체의 분리 추출용 및 정량 주입 시 사용하는 기구는'분액 여두(separatory funnel)이다. 하수, 폐수의 침전 성 부유물질(SS, suspended solids)를 측정하는 기구는 '임호프 콘(imhoff cone)'이라고 부른다.

유량장치에 의한 유량 측정

측정에 대한 이론은 '관속을 흐르는 물체의 압력은 속도가 큰 곳 즉, 내격이 작은 곳이 속도가 작은 곳 즉, 내경이 큰 곳보다 작다'는 것이다.

일반적인 유체를 측정할 때에는 정 중앙 오리피스(orifice), 점도가 높은 유체는 사분원 오리피스, 혼합유체인 경우에 기상과 액상으로 혼합된 유체는 상부 편심오리피스를, 액상과 고상이 혼합된 유체는 하부 편심 오리피스를 사용한다. 프로노즐(flow nozzle)은 오리피스의 측정이 일반적으로 25% 이하에서는 신뢰성이 낮아서 더 넓은 범위의 유량을 측정할 때에 사용된다.

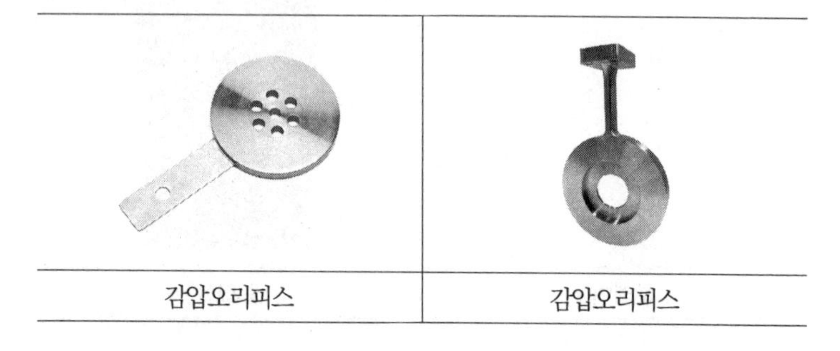

감압오리피스	감압오리피스

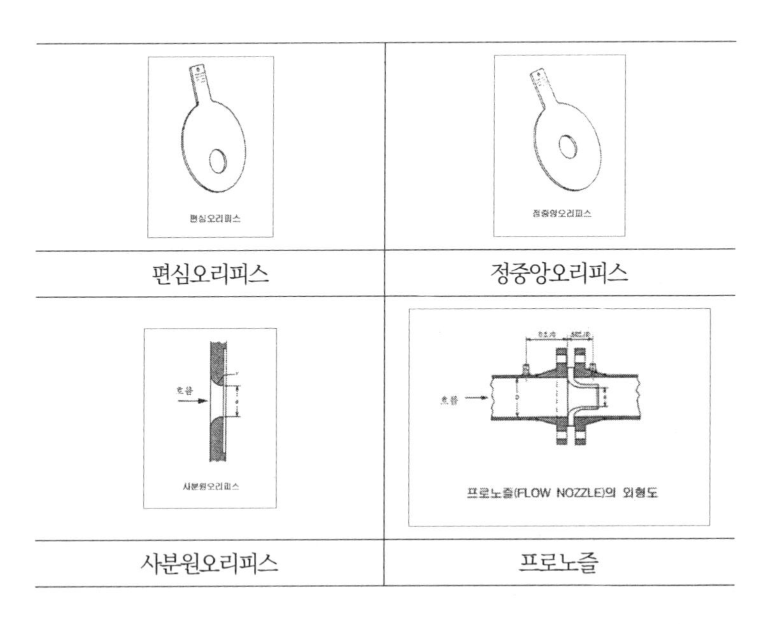

편심오리피스	정중앙오리피스
사분원오리피스	프로노즐

벤츄리 미터(venturi meter)는 수두 차(differencial head)[8]에 의해 유량을 측정한다. 벤츄리 튜브(venturi tube)는 압력이 낮고 차압이 적어야 하는 곳의 유량을 측정할 때에 사용된다.

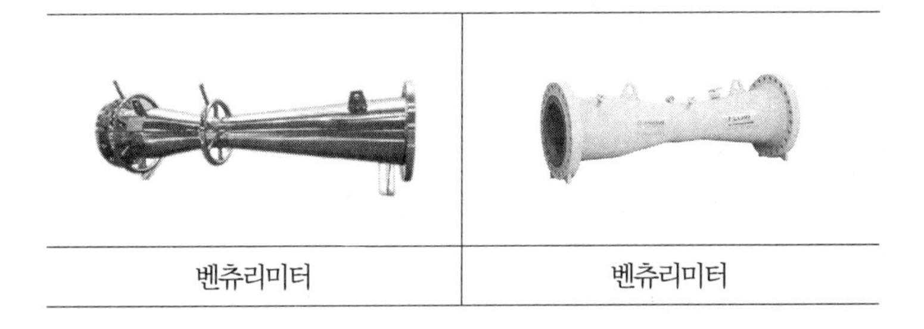

벤츄리미터	벤츄리미터

8) 수두차(differencial head, 水頭差)는 게이트와 같은 취수 장치에서 유입구와 유출구의 개폐에 의하여 확보되는 취수장치의 상, 하류의 수위 차이를 말한다.

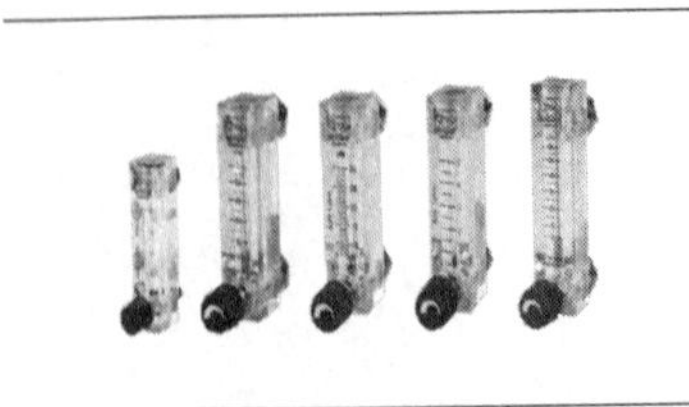	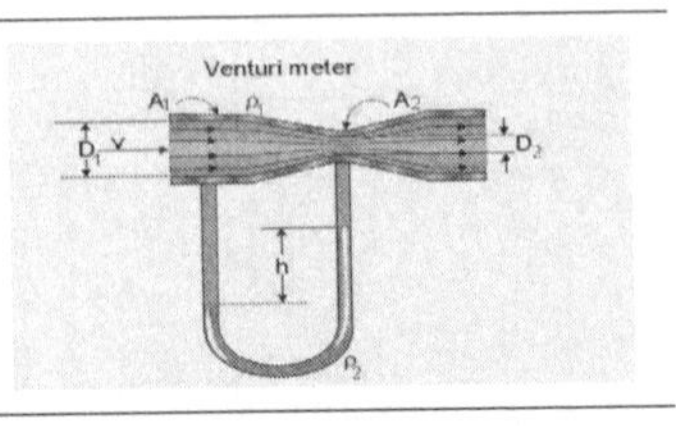
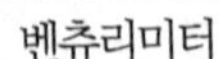벤츄리미터	벤츄리미터

호수 현상

호수에서 일어나는 성층현상(stratification)은 겨울, 여름에 주로 나타난다. 호수에서 일어나는 전도현상(turn over)은 봄, 가을에 주로 나타난다. 호수의 물의 상태가 양호할 때 나타나는 수중 생물은 크루스타센스(crustacean's)와 로티퍼(rotifer) 등이다.

폐수 처리 방법들

활성오니법(activated sludge system)에서 반송오니는 25%, 잉여오니는 75%이다. 활성오니법은 처리 시설 면적이 적어 경제적이지만, 폐수 수량의 변화에 잘 적응 못 한다. 중금속 및 화학적 처리가 곤란하지만, 파리 및 악취 발생이 적은 것이 장점이다.

살수 여상 법(trickling filter process)은 기계 조작이 간편하고, 수량 변화에 용이하다. 처리 시설 면적이 대량 필요하고, 파리 및 악취 발생이 다발한다는 것이 단점이다. 살수 여상 법에서 상부 지역에서는 호기성 미생물이, 하부 지역에서는 혐기성 미생물이 많다.

산화 지(안정 지) 법은 녹조류 미생물의 광합성과 자정 작용을 이용하는 처리법이다.

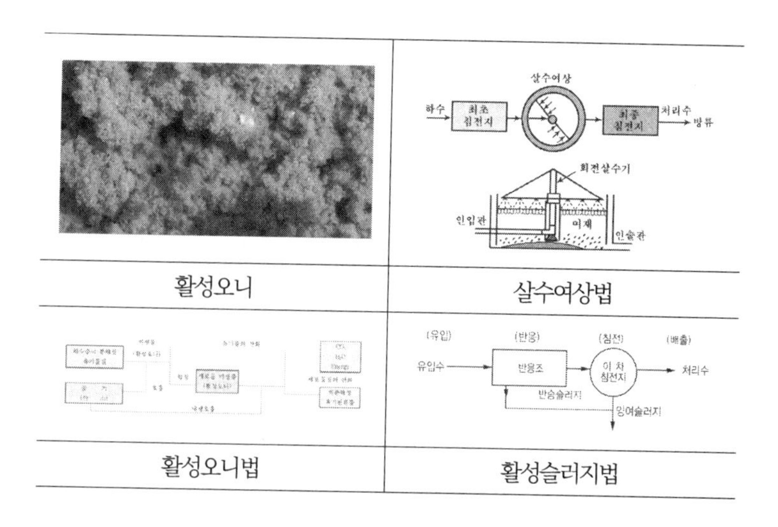

활성오니 / 살수여상법

활성오니법 / 활성슬러지법

폐수 처리 공정

폐수처리 공정도 순서는 폐 수집 수조→스크린→침사지→1차 침전지→활성 오니 조→최종 침전 조→방류 조 순이다. 이 가운데 예비처리는 폐 수집 수조→스크린→침사지→1차 침전지까지이고, 본 처리는 폭기 조→활성 오니 조→살수 여상 조까지이며, 최종 처리는 오니 처리→최종 침전 조→방류 조 순이 된다.

본 처리에는 호기성 처리인 활성 오니 법, 살수 여상 법, 산화지 법 등이 있고, 혐기성 처리에는 부패 조, 임호프 탱크 등이 있다. 혐기성 처리 반응에서 1단계는 유기산 균에 의해, 2단계는 메탄 균에 의해 분해된다. 슬러지 처리는 슬러지→농축→개량→탈수→건조→처분 순이 된다.

폐기물의 종류와 처리

폐기물은 생활 폐기물과 사업장 폐기물이 있고, 사업장 폐기물은 일반사업장 폐기물과 지정 폐기물 그리고 건설 폐기물로 나뉜다. 지정폐기물은 다시 지정 폐기물과 감염성 폐기물로 나누는데, 지정 폐기물이란 폐유, 폐산 등의 특정 유해한 물질을 말하고, 감염성 폐기물이란 병원성 폐기물을 말한다.

폐기물 처리 방법 중 69% 이상의 비용은 폐기물의 수집과 폐기물의 운반 단계의 비용들이다. 폐기물 매립장의 토지 이용 제한 기간은 20년이다. 분뇨 정화조의 순서[9]는 '부패 조→여과 조→침전 조(=제2 부패 조)→소독 조' 순이고 '부여침소'로 암기한다.

악취를 방지하기 위한 방취관은 'S-trap', 'P-trap' 등이 있다.

매립장의 복토방법들로는 매일 복토는 15cm, 중간 복토는 30cm, 최종 복토 60cm이다. 복토를 하는 이유는 위생 해충의 발생을 방지하고, 악취와 냄새를 방지하며, 폐기물의 흩날림을 방지하고, 침출수의 유출을 방지하는 데 이유들이 있다.

중간 처리는 압축, 소각, 중화, 파쇄, 고형화 처리 등을 말하고, 최종 처리는 매립, 해역 배출 등을 말한다. 쓰레기 처리 중에는 소각법이 가장 위생적인 방법이 된다. 쓰레기 종량제의 원인자 부담 원칙은 기본적으로 감량 화(reduce), 재이용(reuse), 재활용(recycle) 등이다.

9) 분뇨 정화조의 순서는 '부여침소'로 암기한다.

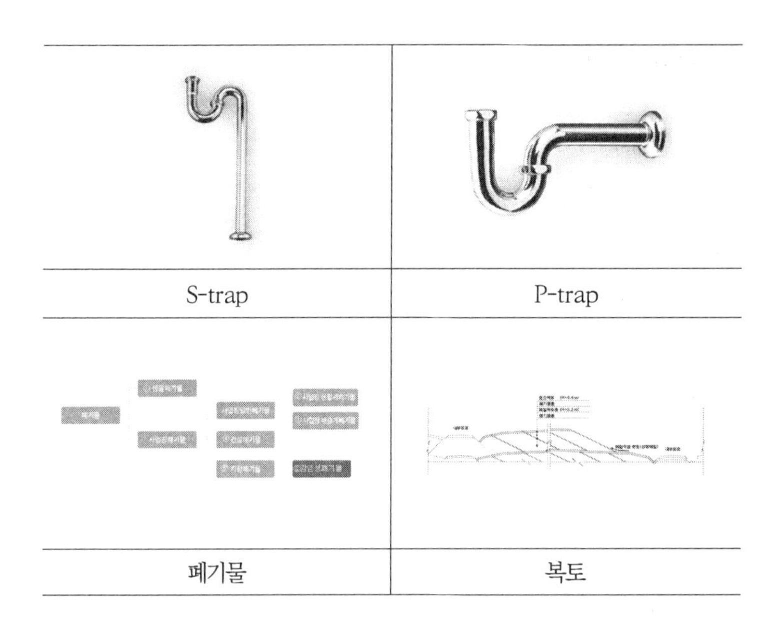

S-trap | P-trap

폐기물 | 복토

환경 측정

1. 기습을 측정하는 것은?
2. 최저, 최고 온도계의 경우 최저기온과 최고기온은 각각 몇 시를 기준으로 측정하나?
3. 자기온도계와 자기 습도계는?
4. 기압계의 경우 최대기압과 최소기압은 각각 언제 측정하나?
5. 모발습도계는?
6. 건습온도계는?
7. 카타 온도계는?
8. 습카타온도계는?
9. 건카타온도계는?
10. 흑구온도계는?
11. 생체한난계는?
12. 안정시 쾌감대는?
13. 쾌적도표에서 쾌적선은?
14. 불쾌지수=(건구온도＋습구온도)×0.72+40.6이다. 불쾌지수(DI) 70, 75, 80, 85의 각각의 의미는?
15. 기류를 측정하는 기구?
16. 실내기류를 측정하는 기구의 측정 시작점의 조건은(카타온도계임)?
17. 백엽상
18. 온열평가 온습도계

정답

1 아스만 통풍습도계

2 · 최고기온은 14시 최저기온은 6시를 기준으로 하고 실내 적정기온은 18±2℃이다.
· 최저기온(알코올)과 최고기온(수은) 중 교차점에서 읽는 것
· 아랫부분은 수은이고 윗부분은 알코올이다.
· 수은은 -38에서 +356도까지 알코올은 -78도에서 +78도까지 측정 가능하다.

3 24시간 방안지 모양에 전기로 온도와 습도를 기록하는 기계이며 두 개의 차이는 자기 온도계의 경우 손잡이가 있다.

4 · 최대기압은 9시와 21시에 측정하고 최소 기압은 3시 15시에 측정한다.
· 1기압은 수은주 760mmHg이다. 대표적으로 아네로이드 기압계가 있다.

5 · polymeter라고 쓰고 작살 모양의 표시에 20, 10, 0 숫자 표시로 구별한다.
· 모발의 습도 및 인장력을 기준으로 습도를 측정하는 기구

6 건구온도와 습구온도의 차이를 이용하여 기습을 측정하는데 종이컵 같은 모양에 헝겊이 들어 있고 여기에 수증기(증류수)를 넣도록 되어 있음이 이 기구의 구별점이다.

7 · 100°F에서 95°F까지 하강하는 동안에 배출되는 열량을 섭씨로는 37.8℃에서 35.0℃까지 하강하는 동안에 배출되는 열량을 4~5회 측정한 후 평균치를 구하는 것이다.
· 상부온도에서 하부온도까지 내려가는 소요시간은 3~5회 반복한 후 평균을 낸다.
· 카타온도계의 상수가 120이고 소요시간은 10초이면 냉각력은 120/10=12이다.
· 실내 기류를 측정하는 용도로 쓰인다. 아래 부분에 구부가 있으나 흑구온도계와는 다르다.
· 단위는 milical/cm^2/sec(열량)

8 젖은 헝겊으로 복사, 대류, 증발에 기인하여 냉각력 측정 시 사용

9 복사, 대류에 기인하여 냉각력 측정 시 사용, 특히 풍속 측정 시 사용

10 · 복사열을 측정하는 기구이고 기류에 관여
· 흑구는 구리판으로 두께가 0.5mm(=1/2mm)
· 사용하는 온도계는 그 눈금이 100~150℃인 막대온도계
· 마개는 콜크 마개
· 흑구 표면은 검은색으로 불투명 에나멜칠
· H. M. Vernon이 고안
· 15~20분 방치하여 측정

11 36.5℃로 유지한 구부 표면의 단위 면적으로부터 복사, 대류, 및 증발에 의하여 단위시간에 방출하는 열량을 측정, 측정시 노출시간은 15분

12 기온 18±2℃, 기습 40~70%

13 실내 인원 95% 이상이 쾌적감을 느낄 수 있는 감각온도 동계 66℉, 하계 71℉

14 · 10% 정도 불쾌 DI=70
· 50% 정도 불쾌 DI=75
· 85% 정도 불쾌 DI=80
· 견딜 수 없는 상태 DI=85

15 · 실내 기류
카타온도계
· 실외 기류
풍차풍속계 : 1~1.5m/sec 측정범위
Dines 풍력계 : 20m/sec 측정범위
열선풍속계 : 1.5m/sec 이하, 측정범위 다양 0~50m/sec
Robinson's 풍속계 : 실외기 측정

16 100℉

17 · 측정 높이는 실외인 경우 1.2~1.5m, 실내인 경우 1.5m
· 수은 온도계를 사용한다(일반온도계).
· 이상저온 측정시는 알코올 온도계를 사용한다.
· 구부의 주위 온도가 계속 치환되고 있어야 한다.

· 주위 공기가 외부와 복사영향을 받지 않도록 한다.

18 · 2차대전 당시 열대 지방에서 작전하는 미군 병사들에 대한 고온 장애 방지를 위한 고안 장치
· 온열평가지수(WBGT : Wet Bulb Globe Temperature Index)
· 태양 복사열의 영향을 받는 실외환경을 평가하는데 사용하는 감각온도 대신 사용하는 것

공기 검사

1. 데포지트 게이지(Deposit gauge)란?
2. 충격식 진애 측정기란?
3. 고속 공기 채취기(High Volume Air Sampler)는?
4. 저속 공기 채취기(Low Volume Air Sampler)는?
5. CO_2 검지관법과 CO 검지관법을 비교하여 정리하면?
6. NO_2(이산화질소) 검지관법은?
7. 낙하세균 측정 방법은?
8. 진공 펌프 내 구조물들 6가지는?
9. 경사 마노메타로 측정하는 항목은?
10. Ringellman Smoke chart란?
11. 세류현상(down wash)이란?
12. 공동현상(down draft)이란?
13. 열섬효과(Heat Island Effect)란?
14. 집진 시설 종류 6가지는?

해설 베타선 분진측정기는 Beta-Ray 흡수 방식의 분진 연속 Monitoring 장비이다. Beta-Ray 방식이란 일반적인 광 산란 방식의 분진계가 아닌 전하를 갖는 전자의 빠른 흐름의 Beta 방출 체의 중성자 한 개가 양자로 변할 때 방출되는 선을 이용하여 대기 중의 분진을 측정하는 장비이다.

15. 광화학 반응에 의해 형성된 2차 오염물질 농도 변화 곡선에서 순서 4단계는?

16. 풍배도란?

17. 분석 측정 장치 가운데 가스크로마토그래피는 무엇이고 구성순서는 무엇이며 흡광광도계는 무엇이고 구성순서는 무엇인가?

18. 먼지 측정법은?

19. 환기량 측정법은?

20. 환기 횟수 측정의 의미는?

21. 미세 먼지 측정기(AA=Anderson Sampler)란?

22. 질소산화물 중 대기 중에 가장 많이 존재하는 것 두가지는 각각 무엇인가?

23. 질소산화물 4가지를 비교하여 정리하면?

24. 대기오염 물질 중에 액체입자인 것은?

해설
- 검댕 = smoke, 퓸 = fume, 안개 = fog,, 미스트 = mist
- mist는 대기오염물질 중 액체입자, fog는 대기오염물질이 아닌 액체입자

정답

1
- 강하분진 측정
- 일정한 장소에서 1개월간 측정함
- 시료채취시간은 1시간(=60분)임
- 이끼발생(조류발생)을 방지하려고 철망을 설치하고

· $CuSO_4$, $5H_2O$를 사용
· 측정 높이는 1.2m

2 · Impringer
· 관성충돌의 원리를 이용한 충격식, 액체 표집법 등

3 · 여과지 홀더, 공기 흡인부, 유량 측정부(지시 유량계)로 구성
· 부유분진의 측정
· 중량농도, 성분 분석시료 포집시 사용
· 시료채취기간은 24시간
· 흡인 유량 : 200~400L/min
· 0.1~100㎛가 채취 가능한 분진의 크기임

4 · 흡인용 펌프, 분립장치, 여과지 홀더, 유량측량부로 구성되어 있다.
· 시료채취기간은 1주일, 2주일, 또는 2개월이다.
· 질량농도를 구하는데 사용한다.
· 흡인 유량 : 2~30L/min
· 10㎛ 이하의 입자상 물질, 또는 금속 등의 성분 분포에 이용됨

5

구분	CO_2 검지관법	CO 검지관법
검지관층 변색모습	청자색이 엷은 보라색으로 변색	녹황색이 청자색으로 변색
농도계산	탄산가스 농도 표에 의해	일산화 탄산가스 농도 표에 의해
측정항목	CO, CO_2, SO_2, H_2S, mist	CO
측정방법	$Ba(OH)_2$법, 검지관법	검지관법, 오 산화 요오드법, Hopzalite법
특이사항	실내 오염도 측정의 지표 (서한도 0.1% 이하, 1000ppm 이하)	자동차 배출가스 주원인 (탄소성분의 불완전 연소 시 발생)
펌프와 연결부위	펌프에서 송곳처럼 튀어나온 부위	펌프에서 송곳처럼 튀어나온 부위
검지관의 검지제	CO_2를 측정하고자 하는 검지관의 검지제는 150~250mesh 크기의 알루미나겔의 알맹이를 thymolphthalein을 넣은 NaOH 용액을 흡착시켜 측정한다.	

6

구분	NO_2(이산화질소) 검지관법
검지관층 변색모습	황색이 녹색으로 변색
농도계산	이산화질소가스농도표에 의해

7 · 낙하법-R. Koch에 의함
· 한천 평판 배지를 만들어 굳힌 페트리디쉬 2~3개를 검사 지역에서 5분간 정치 후 37℃에서 48시간 배양하여 세균집락수를 센다.

8 ① 온도계 ② 가스입구 ③ 압력계 ④ 수면계 ⑤ 평형 조정나사
⑥ 주수구

9 먼지의 유속 측정

10 매연 측정표

· 매연 2도일 경우
백색 부분의 폭은 7.7mm, 흑색 부분의 폭은 2.3mm
백색 부분 60%, 흑색 부분 40%

· 0도, 1도, 2도, 3도, 4도, 5도, 6도

· 연돌에서 측정자와의 거리는 16m 측정자는 연기 흐름과 직각 방향에서 측정한다.

· 햇살은 등지고 위치한다.

· 측정자와 연돌과의 거리는 30~40m 연돌출구 30~45cm 떨어진 부분을 관측한다.

· 매연 농도 표는 측정자와 16m 위치에 배치하여 10초 간격으로 여러 번 측정한다.

11 · 굴뚝 수직 배출 속도에 비해 평균 속도가 크면 플륨이 굴뚝 아래로 흩날림
· 대책 : 수직 배출 속도를 부는 풍속의 2배 이상이 되게 한다.

12 · 굴뚝 높이와 비교할 만한 건물이 있으면 건물 때문에 난류가 발생하여 건물 후면에 플륨이 형성되는 것
· 대책 : 굴뚝 높이를 주위 건물의 2.5배 이상 되게 한다.

13 · 도시가 농촌보다 열보존 능력이 2~5℃ 정도 큰 현상

· 여름에서 초가을 밤에 주로 발생함

14 ① 원심력 집진기 = cyclone → 원심력 이용

② 여과 집진기 = bag filter → 여과백을 이용

③ 세정집진기 = scrubber

→ 유량속에 수분 및 약품을 충진하여 가스를 수세하는 형태

④ 전기집진기 = corell filter

→ 고압 전기장에 통과시킴. 정전기를 이용함

0.05㎛의 미립자까지 99% 이상의 효율을 가진 집진기임

⑤ 관성력 집진 장치 → 방해판을 가운데 설치하여 놓은 장치

⑥ 중력 집진 장치 → 먼지가스 입구에서 청전가스 출구로 나가다가 중간에 구멍 뚫린 먼지호퍼를 이용하여 집진함

15 (왼쪽 봉우리에서 오른쪽 봉우리 순으로)

NO_2 → HC → Aldehyde → O_3

· 1차 오염물질(NO_x, HC, 유기물)에서 2차 오염물질(O_3, PAN, H_2O_2, HCHO)로 가는 것은 자외선에 의함

16 풍속을 16 방향으로 표시한 그림

17 · 가스크로마토그래피 = GC = Gas Chromatography → 운반가스에 의해 분석함

· 구성 순서는 운반가스 → 압력조절부 → 시료도입부 → 분리관 검출기

· 흡광광도계 = AA = Absoptiometric Analysis → 광원에 의해 분석함

· 구성순서는 광원부 - 시료자원부 - 단색화부 - 측광부

· 파장 범위의 빛만을 선택하여 발색시켜 시료를 통과시키고 광전측광으로 흡광도 측정함

18 · 선택적 검출기 이용 적외선 흡수량 변화를 측정, 특정 성분 농도 구함

· 구성순서는 먼지포집부 → 가스흡입부 → 흡입유량측정부

· 그림 도표의 순서

드레인 포집기 → SO_2 흡수병 → 미스트 제거병 → 진공펌프 - 마노미터 → 가스미터

19 · 소요환기량(m^3/hr)=실내 이산화탄소량, (실내 이산화탄소 서한량 - 이산

화탄소의 실외 정상 정상농도)

· 실내 이산화탄소량(m^3/hr)

· 실내 이산화탄소 서한량=0.1%

· 이산화탄소의 실외 정상 정상농도=0.03%

· 실내 이산화탄소량은 보통 20~22L, 수면시에는 12L

· 1인당 공기 소요량은 $30m^3$/hr

20 환기횟수=(실내 사람수 1인당 필요한 공기용적), 실내 공기 용적

21 실내 미세먼지 측정시 사용함, 기관지에 침착되기 쉬운 단계는 No. 4~5인 1.1~2.1μ

22 NO, NO_2

23

구 분	특 징
NO	고온으로 연소시 발생되며 헤모글로빈 혈색소와 산소 결합력이 일산화탄소보다 강한 질소화합물임 무색, 무취, NHb로 산소결핍 유발함
NO_2	적갈색, 자극성, NO보다 기관지 영향이 강하다
N_2O	마취제, Smile Gas(웃음 가스)
NO_3	질산염으로 질소가스의 최종산물

24 미스트

조도 및 소음, 진동 검사

1. 채광이 가장 위생적인 것은?

2. 환기가 가장 좋은 창문은?

3. 중성대의 위치는 어디일 때가 가장 좋은가?

4. 조도계란?

5. 소음계란?

해설 Decibel 표시 있는 사진은 소음계이고, 조도계는 lux 표시가 있다.

6. 소음 측정 시 측정분석 및 사용방법은?

7. 가장 위생적인 조명방법은?

8. 가장 경제적인 조명방법은?

9. 경제적인 면과 위생적인 것을 고려한 조명방법은?

10. 입사각은?

11. 개각은?

12. 진동계란?

해설 충격 요인은 제외됨

13. 채광으로 인한 일광의 작용 3가지는?

14. 소음 및 진동 측정 기구의 측정 기준과 단위는?

해설 진동측정범위는 60~120임

정답

1 채광은 동일 면적일 경우 횡으로 보다 종으로 길게 함이 자연조명이 좋다.

2 천장 가까이 창문이 있는 것이 환기에는 좋다.

3 천장 가까이 있는 것이 좋다.

4
- 조명도를 측정함
- 광전지 조도계는 아황산동이나 셀렌이 광전지에 의해 빛을 전류로 바꾸어 조도를 측정함
- 위에서 아래로의 장치 순서는 유리판 - 금속막 - 셀렌 - 철판 순이다.
- 0.1Lux 이하의 낮은 조도는 측정이 불가능하다.

· foot candle이라는 문구가 있으면 조도계임
· 단위면적(m^3)에 1Lumen의 광속이 투사됨의 밝기임
· 1Lux=0.093foot candle
→ 1촉광의 광원으로부터 1m거리의 밝은 정도임
· 시도 보정기간은 6개월
→ 조도 측정 시에는 그림자, 빛의 현휘, 휘도에 주의한다.

5 · 측정단위는 dB(A)
· 감각 특성은 dB(A), 녹음 특성은 dB(C)
· 음압도 측정시 A, B, C 곡선 중 C 곡선은 85dB 이상에서 측정이 가능
· 소음계의 위치는 지상에서 1.2m, 측정자간의 간격은 0.5m(=50cm) 떨어지는 것이 좋다.
· 암소음이 70dB(A)이고 대상 소음이 67dB(A)일 때 보정 대상 소음은 64dB

6 · 지면에서 1.2~1.5m 높이, 장애물에서 3.5m 이격된 거리에서 측정
· 간헐적 소음, 불규칙한 소음은 10회 측정 중 최고 소음의 평균치 산출
· 옥외 측정시 풍속이 2m/sec 이상일 때는 마이크로폰 끝에 방풍망 설치
· 풍속이 5m/sec 이상일 때는 측정금지
· 소음이 1초 이상 간격으로 발생되는 충격 소음일 경우 1분 동안의 발생 횟수를 측정함
· 계기 상 최고치의 30회 읽어 평균치 산출
→ 5분 이상 측정, 5초 간격으로 50회 판독, 변동 폭이 5dB 이내일 경우 소음도 크기순으로 10개를 산술 평균한 소음도 산출함
· 측정소음, 진동도가 배경소음, 진동도보다 3~9dB인 경우 보정표에 의해 보정한 후 대상 소음, 진동도로 한다.

7 간접 조명

8 직접 조명

9 반간접 조명

10 27도 이상이고 클수록 실내가 밝다.

11 4~5도 이상이고 클수록 실내가 밝다.

12 · 측정 단위는 dB(V), mm, m/sec^2

· 흔들림의 속도
· 진동의 크기를 나타내는 요소들
→ 변위(m), 속도(m/sec), 가속도(m/sec^2)

13 ① 피부를 튼튼하게
② 장기기능 증진
③ 비타민 생성으로 구루병 예방 및 살균 작용

14 · 소음은 50dB(A)
· 진동은 60dB(V)

음료수 검사

1. 가장 안전한 수원은?
2. 상수도에서 널리 쓰는 수원은?
3. 지하층에 굴착하여 지하수를 얻는 방법은?
4. 펌프의 양정이 양호한 것은?
5. 물 소독에 대한 가장 이상적인 위치는?
6. 물을 여과 급수함으로 장티푸스 환자가 급속하게 준 것은?
7. NH_3-N 측정 시 네슬러 시약을 주입 시 양성일 경우 최종종말점은?
8. $KMnO_4$ 소비량 측정 시 최종종말점은?
9. 단백질 부패과정 5단계는?
10. 수도관 중 소형관과 대형관을 연결할 때 쓰이는 관은?
11. 응집량을 결정하는 기구는?
12. 염소이온 측정시험에서 종말점 색은?

13. 총 알칼리도 측정 시 종말전의 적정색은?

14. 염소이온 측정시험에서 적정시약은?

15. 잔류염소검사 방법 중 비색법일 경우 OT 시약에서의 반응색은?

16. O-T 시약이란?

17. 유리 잔류 염소량은 얼마시간에, 결합 잔류 염소는 얼마시간에 각각 정색 반응에 의하여 분석하나?

18. 잔류염소는?

19. 탁도 검사 시약은?

20. 색도 검사 시약은?

21. 맛, 냄새 측정 시 가온 온도는?

22. 상수처리단계는?

23. 정수처리단계는?

정답

1 보호 방수벽을 갖춘 지하수

2 댐, 호수 등 지표수임

3 관정

4 경사가 완만한 것이 좋다.

5 배수지

6 Mills-Reincke 현상

7 적갈색

8 마홍색

9 ① protein → ② amino acid → ③ 암모니아성 질소(NH_3-N) → ④ 아질산성 질소(NO_2-N) → ⑤ 질산성질소(NO_3-N)

10 레듀셔관

11 Jar Test를 이용함

12 미등색

13 자홍색

14 질산은($AgNO_3$)

15 황색이나 황갈색

16 O-Toluidine

17 유리 잔류 염소량은 5초 이내, 결합 잔류 염소는 5분 후

18 결합잔류염소+유리잔류염소

19 황산히드라진과 헥사메틸테트라아민

20 염화백금산 칼륨 표준액

21 40~50도

22 취도정송배급(취수-도수-정수-송수-배수-급수)

23 응집-폭기-침전-여과-소독

하수 검사

1. 채수위치는?
2. 수분 측정건조기는 데시케이터(desicator)인데 이곳에 넣는 건조제는?
3. 고체와 액체의 분리 추출용 및 정량 주입 시 사용하는 기구는?
4. 하, 폐수의 침전성 부유물질인 SS를 측정하는 기구는?
5. 수두차에 의해 하천수의 흐르는 유량을 측정하는 도구는?
6. 호수에서 일어나는 성층현상은?
7. 전도현상(turn over)은?
8. 물의 상태가 양호할 때 나타나는 수중 생물은?

9. COD 측정시 산성에서 종말점 적정색은?

10. COD 측정시 알칼리성에서 종말점 적정색은?

11. 활성오니법에서 반송오니와 잉여오니의 분포(%) 비율은?

12. 살수여상법에서 상부지역과 하부지역의 미생물 분포는?

13. 활성오니법은?

14. 살수여상법은?

15. 산화지(안정지)법은?

16. 폐수처리 공정도는?

해설 호기성처리에는 활성오니법, 살수여상법, 산화지법이 있고, 혐기성처리에는 부패조, 임호프 탱크가 있다.

17. 슬러지 처리 순서 6단계는?

18. 혐기성 처리 반응에서 1단계와 2단계에서의 각각의 생성물은?

정답

1 · 수심이 2m 미만일 경우 수심의 1/3
 · 수심이 2m 이상의 경우 수심의 1/3, 2/3

2 염화칼슘, 황산칼슘

3 분액여두

4 임호프콘(imhoff cone)

5 벤츄리미터(Venturimeter)

6 겨울, 여름에 나타남

7 봄, 가을에 주로 나타남

8 크루스타센스(crustaceans)와 로티퍼(rotifer)

9 마홍색

10 무색

11 25 : 75

12 상부지역은 호기성 미생물이고, 하부지역은 혐기성 미생물임

13 · 처리시설면적이 적어 경제적이다.
· 폐수수량의 변화에 잘 적응 못 한다.
· 중금속 및 화학적 처리가 곤란하다.
· 파리 및 악취발생이 적다.

14 · 기계 조작이 간편
· 수량 변화에 용이하다.
· 처리시설면적이 대량 필요하다.
· 파리 및 악취발생이 다발한다.

15 녹조류 미생물의 광합성과 자정작용을 이용하는 처리법임

16 · 폐수집수조 → 스크린 → 침사지 → 1차침전지 → 활성오니조 → 최종침전조 → 방류조
· 예비처리 : 폐수집수조 → 스크린 → 침사지 → 1차침전지
· 본 처리 : → 폭기조 → 활성오니조 → 살수여상조
· 최종 처리 : → 오니처리 → 최종침전조 → 방류조

17 ① 슬러지 → ② 농축 → ③ 개량 → ④ 탈수 → ⑤ 건조 → ⑥ 처분

18 유기산균, 메탄균

폐기물 처리

1. 분뇨정화조 순서 4단계는?

2. 악취를 방지하기 위한 방취관은?

3. 매립장의 복토방법은?

4. 복토 이유?

5. 폐기물은?

6. 사업장 폐기물은?

7. 지정폐기물에는?

해설 위해의료폐기물

가. 조직물류폐기물 : 인체 또는 동물의 조직·장기·기관·신체의 일부, 동물의 사체, 혈액·고름 및 혈액생성물(혈청, 혈장, 혈액제제)

나. 병리계폐기물 : 시험·검사 등에 사용된 배양액, 배양용기, 보관균주, 폐시험관, 슬라이드, 커버글라스, 폐배지, 폐장갑

다. 손상성폐기물 : 주사바늘, 봉합바늘, 수술용 칼날, 한방침, 치과용침, 파손된 유리재질의 시험기구

라. 생물·화학폐기물 : 폐백신, 폐항암제, 폐화학치료제

마. 혈액오염폐기물 : 폐혈액백, 혈액투석 시 사용된 폐기물, 그 밖에 혈액이 유출될 정도로 포함되어 있어 특별한 관리가 필요한 폐기물

바. 일반의료폐기물 : 혈액·체액·분비물·배설물이 함유되어 있는 탈지면, 붕대, 거즈, 일회용 기저귀, 생리대, 일회용 주사기, 수액세트 등

8. 중간처리 5가지는?

9. 최종처리 2가지는?

10. 폐기물 처리방법 중 69% 이상의 비용은?

11. 폐기물 매립장 토지이용 제한 기간은?

해설 의료폐기물 발생장소

폐기물관리법 시행규칙 [별표 3]

의료폐기물 발생 의료기관 및 시험·검사기관 등(제2조제3항 관련)

1. 「의료법」 제3조에 따른 의료기관

2. 「지역보건법」 제7조 및 제10조에 따른 보건소 및 보건지소

3. 「농어촌 등 보건의료를 위한 특별조치법」 제15조에 따른 보건진료소

4. 「혈액관리법」 제6조에 따른 혈액관리업무를 하는 혈액원

5. 「검역법」 제28조에 따른 검역소 및 「가축전염병예방법」 제30조에 따른 동물검역기관

6. 「수의사법」 제2조제4호에 따른 동물병원

7. 국가나 지방자치단체의 시험 · 연구기관(의학 · 치과의학 · 한의학 · 약학 및 수의학에 관한 기관

8. 대학 · 산업대학 · 전문대학 및 그 부속 시험·연구기관(의학 · 치과의학 · 한의학 · 약학 및 수의학에 관한 기관)

9. 학술연구나 제품의 제조 · 발명에 관한 시험 · 연구를 하는 한의학 · 약학 및 수의학에 관한 연구소

10. 「장사 등에 관한 법률」 제25조에 따른 장례식장

11. 「행형법」 제2조의 교도소 · 소년교도소 · 구치소 등에 설치된 의무시설

12. 「의료법」 제35조에 따라 설치된 기업체의 부속 의료기관으로서 면적이 100제곱미터 이상인 의무시설

13. 「군통합병원령」에 따라 사단급 이상 군부대에 설치된 의무시설

14. 「노인복지법」 제34조제1항제1호에 따른 노인요양시설

15. 의료폐기물 중 태반을 대상으로 법 제25조제5항제5호부터 제7호까지의 규정 중 어느 하나에 해당하는 폐기물 재활용업의 허가를 받은 사업장

16. 「인체조직 안전 및 관리 등에 관한 법률」 제13조제1항에 따른 조직은행

17. 그 밖에 환경부장관이 정하여 고시하는 기관

12. 소각법이?

13. 쓰레기 종량제 설치의 기본적인 원인자 부담원칙은?

정답

1 부여침소(① 부패조→② 여과조→③ 침전조(제2부패조)→④ 소독조)

2 S-trap

3 매일복토 15cm, 중간복토 30cm, 최종복토 60cm

4 위생해충 발생방지, 악취와 냄새 방지, 폐기물의 흩날림 방지, 침출수 유출

방지

5 생활폐기물과 사업장 폐기물

6 일반사업장 폐기물과 지정폐기물과 건설폐기물

7 · 지정폐기물과 감염성 폐기물

· 지정폐기물이란 폐유, 폐산 등의 특정 유해한 물질이고 감염성 폐기물이란 병원성 폐기물을 말함

8 ① 압축 ② 소각 ③ 중화 ④ 파쇄 ⑤ 고형화처리

9 ① 매립 ② 해역배출

10 수집, 운반단계비용

11 20년

12 가장 위생적

13 감량화, 재이용, 재활용=Reduce, Reuse, Recycle

2. 식품위생학

식품 취급 시설 위생

식품 제조 가공 시설은 '원료 보관실, 세척 실, 제조 가공 실, 제품 포장 실, 제품 창고'순으로 배치된다. 식품 관련 시설에 쓰이는 내수성 자재들에는 스테인레스(stainless), 알루미늄, 테프론(teflon), 섬유 강화 플라스틱(FRP. fiber reinforced plastics) 등이 있다.

식품 취급 시설의 방수벽의 높이는 1.5m(= 150cm)이고, 배수 시설은 벽으로부터 15cm 떨어져야 한다. 배수 시설의 경사도는 2~4cm이다. 식품 취급 시설의 천장은 바닥으로부터 3.3m이며, 벽과 창문틀의 각도는 45~50도이고, 바닥과 문틈의 공간은 0.5cm이다. 식품 관련 시설의 수도관과 만수면의 이격거리는 7cm이다.

식품 관련 시설의 방충망의 크기는 30mesh[10]이고, 환기는 천장 가까기에 창문이 있는 것이 좋다. 휴게실과 단란주점의 칸막이 높이는 1.5m 미만인데, 보통 칸막이가 50cm, 칸막이 다리가 100cm 정도이다.

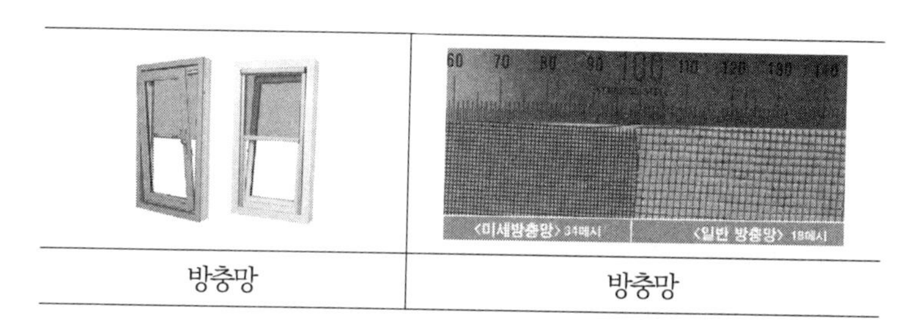

방충망 | 방충망

10) mesh란 사방 1인체에 그물의 눈이 몇 개인가를 나타내는 것

식품별 신선도 및 부패

계란의 신선도는 식염 11%에서 침전되는 것이 우량 제품이다. 난황 계수는 '평면상 난황 높이'에 '평면상 난황 지름'을 나눈 값으로, 0.3~04가 우량이고 03 이하는 불량이다.

어류나 육류의 부패 과정을 보면, '사후 강직→강직 해제→자기 소화→부패' 순이고, '사강자부'로 암기한다. 순서별로 수소 이온 농도 변화를 보면, '중성(pH 7.3)→산성(pH 5.5-5.6)→알칼리성(pH 11)' 순으로 '주산알'로 외운다.[11] 단백질 부패 과정은 단백질(protein)→아미노 산(amino acid)→암모니아 성 질소(NH_3-N)→아질산 성 질소(NO_2-N)→질산 성 질소(NO_3-N) 순이다. 식품 취급 시 살균등 위치는 50cm이다.

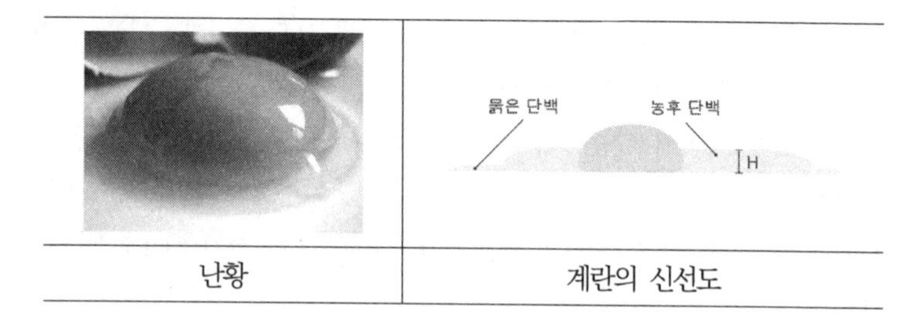

난황	계란의 신선도

11) 어류나 육류의 부패과정은 '사강자부'로 암기하고, 어류나 육류의 부패과정 수소이온 농도 변화는 '주산알'로 암기한다.

식품 첨가물

식품 명	첨가물 종류	첨가물 명
마아가린, 버터, 치즈	보존료	DHA(dehydroacetic acid)
버터	산화방지제	BHT (butyl hydroxy toluene)
두부	응고 제	황산 칼슘

* 단무지 제조 시 사용할 수 없는 착색료에는 타트라찐(tartrazine), 베타 캐로틴(β-carotene), 오라민(auramine) 등이 있다. 이 중 '타트라찐'은 황색 색소로서, 천식, 발작이 올 수 있고, '베타 캐로틴'은 섭취 시 비타민A로 변환되는 비타민A 전구체로 적색 결정성 물질인데, 단무지에는 쓰지 않는다. '오라민'은 유해한 형광 착색료로서, 방광염을 일으켜서 그동안 단무지에 많이 썼으나 단무지에 오용된 것으로 판명되었다.

식품의 보관

우유는 10℃ 이하에서 보관해야 한다. 냉장고의 내부 보관 온도를 보면, 냉동실에 있는 육류는 -18℃, 냉장실의 윗부분에 놓는 어패류, 계란은 0~3℃, 가운데 놓는 육류, 어패류는 5℃, 아래 부분에 놓는 야채류는 10℃ 정도이다. 하지만, 가운데 놓는 육류, 어패류의 경우는 그 날로 먹을 것에 한한다.

돼지고기에서 유구낭충 방지를 위한 가장 쉬운 보존방법은 '가열'이다. 과자류 식품에서 곤충이 나왔다면 '완제품' 과정에서 나온다.

우유 저온 살균은 63~65℃에서 30분간 가열하는 것이고, 우유 고온 단기간 살균은 71.1℃에서 15초간 가열하는 것이며, 우유 초고온 순간 살균은 121℃에서 2초간 가열하는 것이다. 우유의 정상 비중은 15.6℃에서 1.028~1.034이다.

식품별 검사

시험명	시험법	비고
대장균의 정성 시험	추정시험, 확정시험, 완전시험	
통조림 검사	외관 검사, 타검검사, 중량검사, 진공도검사, 가온검사	
꿀벌에서 물엿 첨가 여부 검사	요오드 시험	
우유에서 물 첨가 여부 검사	비중 검사	
우유에서 지방함량 검사	밥콕 시험(babcock test), 거버 시험(gerber test)	
우유에서 대장균 군 검사	포스파타제 시험 (phosphatase test)	
우유에서 세균 농도 추정 검사	리덕타제 시험(reductase test)	

어패류와 육류

어패류가 육류에 비해 부패하기 쉬운 이유들은 육질이 알칼리성에 가깝다는 점, 근육 구조가 복잡하고 조직이 탄력적이라는 점, 부패 수중 세균이 많다는 점, 수분이 많고, 조직이 연하며, 천연 면역소가 적고, 세균 부착의 기회가 많다는 점 등이다.

어패류가 육류에 비해 부패하기 쉬운 가장 큰 이유는 어패류가 '수분이 많다'는 점이다. 우유 매개 전염병에는 결핵균, 대장균, 화농균, 장티푸스균, 브루셀라균, 디프테리아균 등이 있다.

식품위해요소 중점관리기준(hazard analysis critical control point, HACCP) 즉, 이른바 '해썹 실시 7단계' 중 2단계는 위해 분석(hazard analysis, HA)과 중요 관리 점 설정(critical control point, CCP)이다. 나머지 5단계는 '허용 기준 설정', '모니터링 방법의 설정', '시정 조치 설정', '검증 방법 설정', '기록 유지' 순이다. 유전자 재조합 식품(genetically modified organism, GMO)은 간단히 '지엠오(GMO)'라고 불린다.

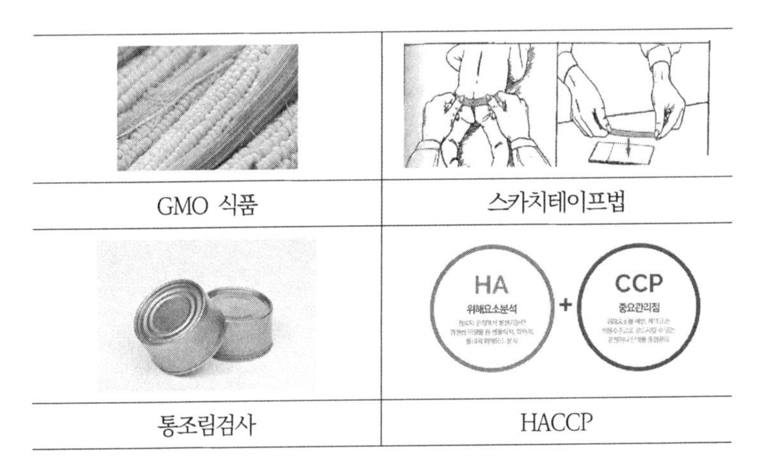

GMO 식품	스카치테이프법
통조림검사	HACCP

식품 취급 단계

원재료 위생관리 단계는 '생산→수확→저장' 순이다. 제조 가공 관리 단계는 '제조가공', 유통 판매 관리 단계는 '유통 수입 및 판매'이고, 소비자 섭취 관리 단계는 '조리 및 섭취' 단계이다.

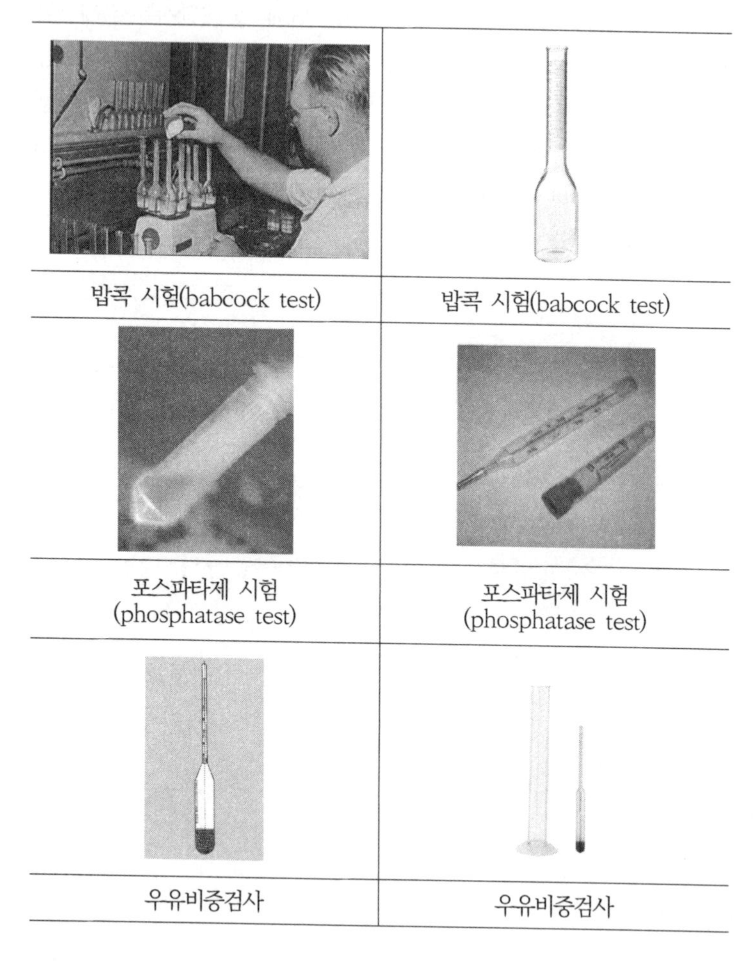

밥콕 시험(babcock test)	밥콕 시험(babcock test)
포스파타제 시험 (phosphatase test)	포스파타제 시험 (phosphatase test)
우유비중검사	우유비중검사

식중독 곰팡이

곰팡이 종류	곰팡이 별명	식품
penicillin 속	푸른 곰팡이	항생물질, 유지, 치즈
aspergillus 속	누룩 곰팡이	간장, 된장, 양조
Rizopus 속	거미줄 곰팡이	빵, 곡류, 과일
Mucur 속	털 곰팡이	-

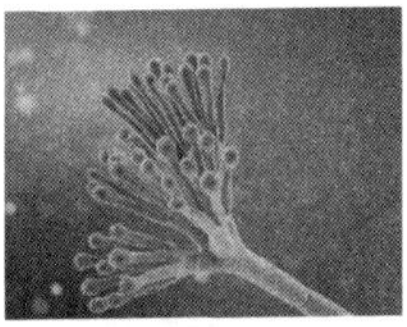

penicillium spp	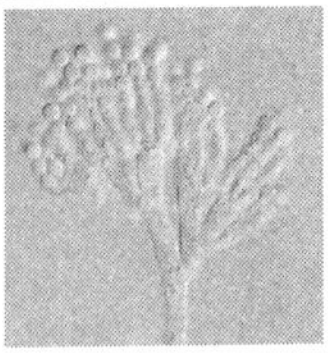 penicillium spp
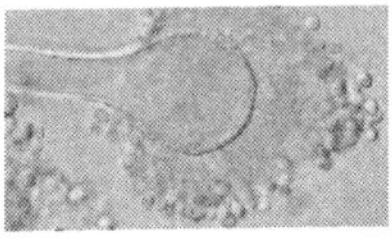 Aspergillus spp	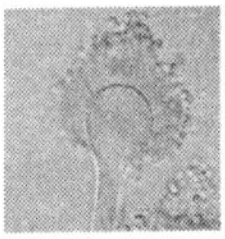 Aspergillus spp
 Rizopus spp	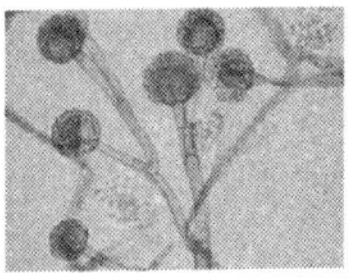 Rizopus spp
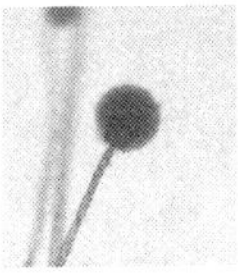 Mucur spp	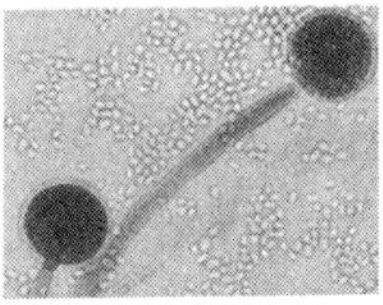 Mucur spp

식중독 독소

식품	독소	비고
검은 조개 혹은 섭조개(=홍합)	mytilotoxin (= saxitoxin)	
바지락	venerupin	
복어	tetrodotoxin	
감자의 녹색 부분	solanine	
썩은 감자	sepsine	

 홍합 saxitoxin	 바지락 venerupin
 복어 tetrodotoxin	 감자의 녹색부분 solanine
 썩은 감자 sepsine	 섭조개 mytilotoxin
 진주담치 saxitoxin	 굴 saxitoxin

소독 및 살균

살균력이 가장 강한 세균은 표면적이 가장 큰 구균이고, 소독력의 지표가 되는 세균은 장티푸스균과 포도상 구균이다.

식중독 세균

식중독 세균의 외부 형태를 보면, 살모넬라균은 '주모 성 편모 균'이고, 장염비브리오균은 콤마 형 간균으로 '단모 성 편모 균'이며, 보툴리누스 식중독균은 '간균'으로, 아포를 형성하는, '주모 성 편모 균'이고, 웰치균 식중독균은 '간균'으로, '무 편모 균'이다. 대장균은 '단간균'이고, 포도상 구균은 '구균'이다.

포도상 구균 식중독은 급성 위장염을 일으키고 잠복기가 3~8시간으로 가장 짧으며, 화농성 질환을 일으키고, enterotoxin을 생성한다. 조리사가 손에 상처가 난 상태로 음식을 했을 때 나타나는 식중독균이다.

살모넬라 식중독의 특징은 '발열'이다. 균체에 스포어(spore)를 가지는 인축공통 전염병 세균은'탄저균'이다.

식중독세균

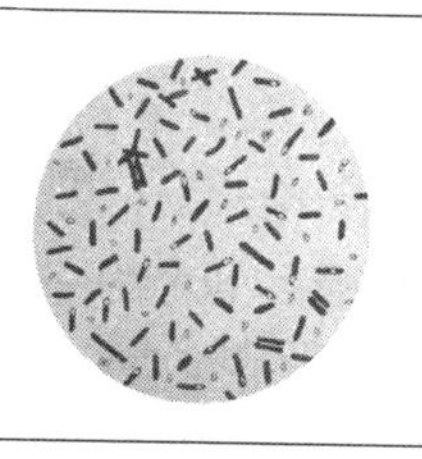	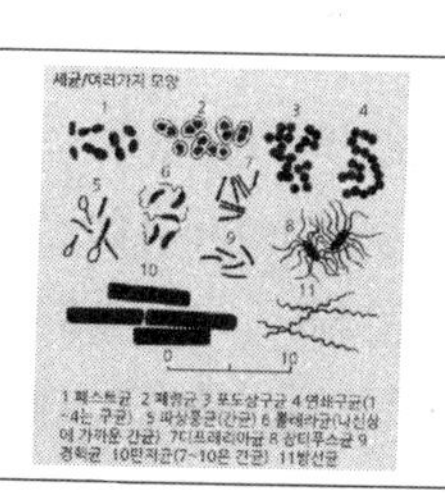
클로스트리듐속	세균모양

경구 감염 기생충

회충은 수정란이나 소장에 기생하고, 요충은 감 씨 모양으로, 어린이에게 신경질을 유발하며, 스카치테이프 법으로 진단한다. 십이지장충은 '구충'이라고도 하고, 채독증을 일으키는데, 경 피 감염이고, 소장 상부에 기생한다. 편충은 선충으로, 회맹 부위에 기생하고, 탈 항 증을 일으킨다.

간디스토마는 '간흡충'이라고도 하고, 오이 모양 또는 버들잎 모양이다. 폐디스토마는 '폐흡충'이라고도 하고, 타원형이다. 왜소조충은 4개의 흡반이 있고, 유구 조충은 '갈고리촌충'이라고도 하며, 돼지고기에 기생하고, 무구 조충은 '민 촌충'이라고도 하며, 소고기에 기생한다. 광절 열두 조충은 '긴 촌충'이라고도 하며, 두절은 곤봉 모양이고, 편절에 국화 무늬가 있다.

돼지고기에서 선모충을 예방하기 위한 가장 좋은 방법은 -20℃ 냉동 보관이다. 개, 고양이의 분변으로부터 돼지, 닭에게 전염되는 기생충은 '톡소플라즈마'이다. 어린이에게 설사를 일으키는 원충은 '대장아메바'이다.

경구 감염 기생충의 중간숙주

간디스토마의 제1중간 숙주는 왜우렁이고, 제2중간 숙주는 잉어, 붕어 등 민물고기이다. 폐디스토마의 제1중간 숙주는 다슬기이고, 제2중간 숙주는 산간 지방 분포하는 게, 가재 등이다. 광절열두조충의 제1중간 숙주는 물벼룩이고, 제2중간 숙주는 연어, 송어, 농어 등이다.

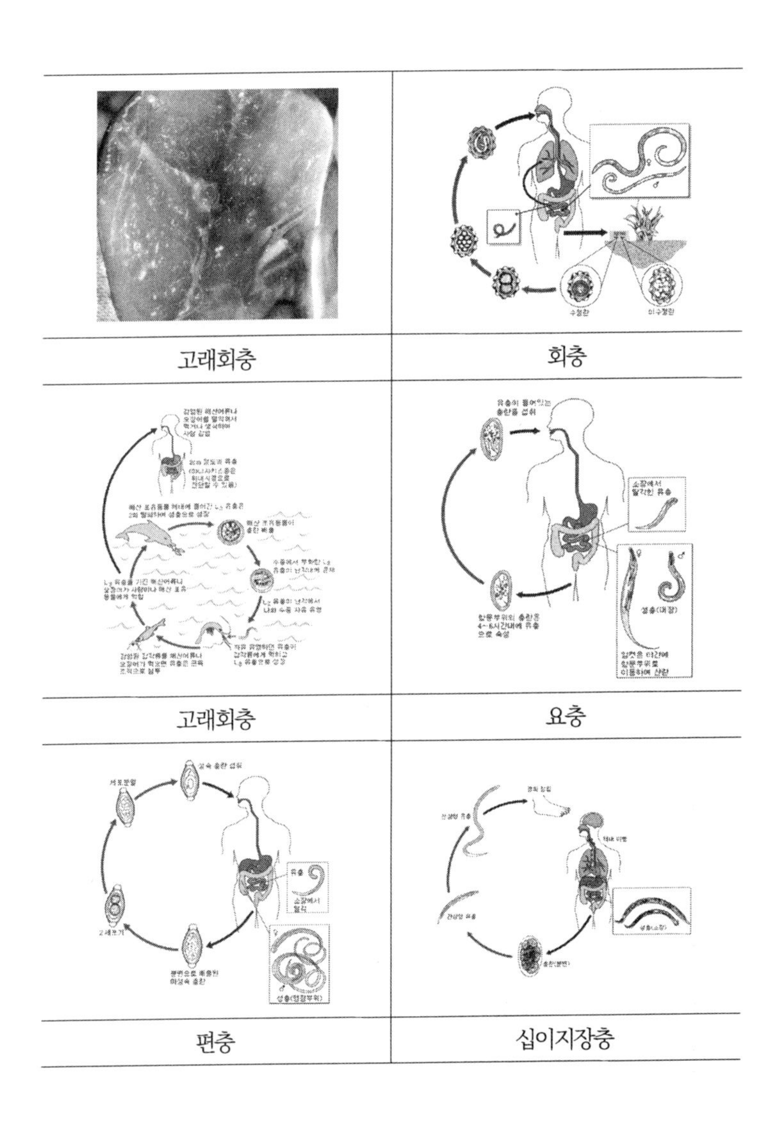
고래회충
회충
고래회충
요충
편충
십이지장충

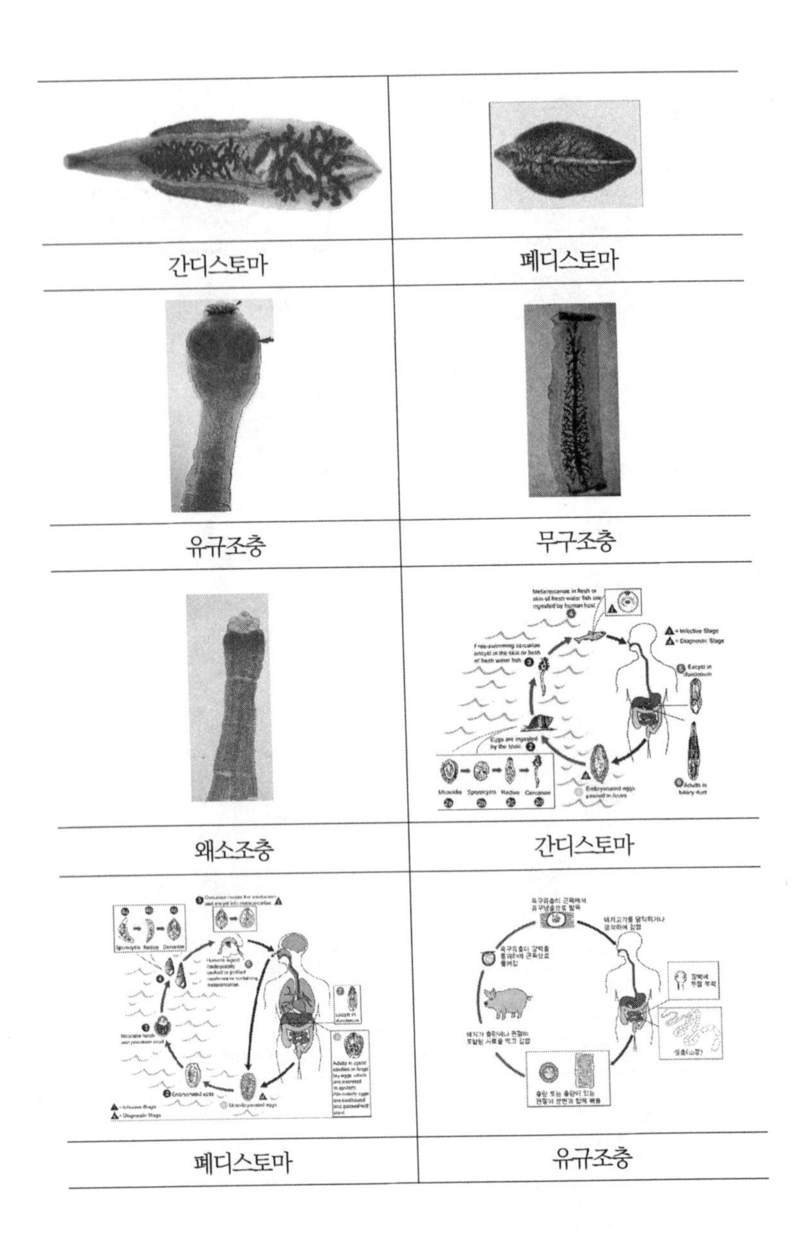
간디스토마
폐디스토마
유구조충
무구조충
왜소조충
간디스토마
폐디스토마
유구조충

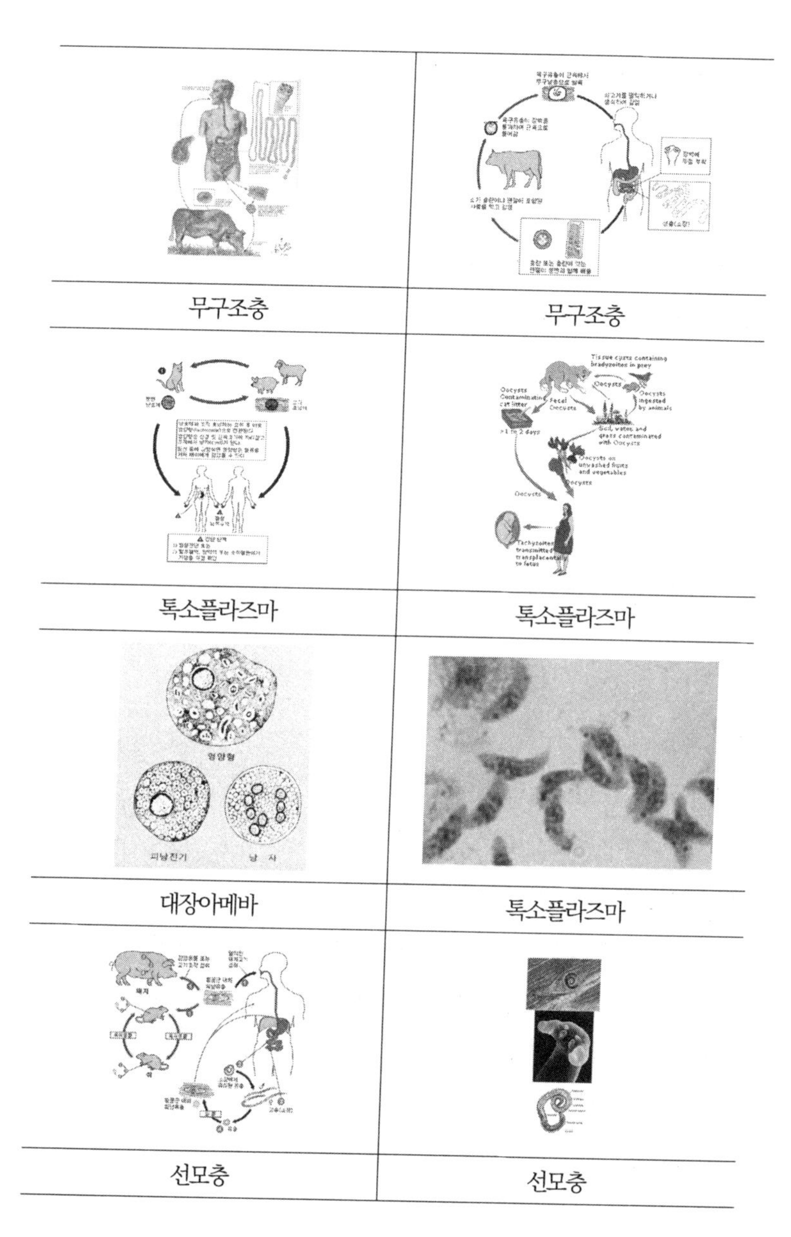

무구조충	무구조충
톡소플라즈마	톡소플라즈마
대장아메바	톡소플라즈마
선모충	선모충

식품 취급 및 시설 위생

1. 내수성 자재는?

2. 방수벽의 높이는?

3. 배수시설은 벽으로부터 얼마 떨어지나?

4. 배수시설의 경사도는?

5. 창문과 벽면의 각도는?

6. 천장은 바닥으로부터 얼마 떨어져야 하나?

7. 방충망의 크기는?

8. 벽과 창문틀의 각도는?

9. 바닥과 문틈의 공간은?

10. 환기는?

11. 가장 위생적인 조명은?

12. 제조 가공 시설은?

13. 휴게실과 단란주점의 칸막이 높이는?

해설 칸막이 50cm + 칸막이 다리 100cm

14. 수도관과 만수면의 이격거리는?

15. 계란의 신선도는 식염 몇 %에서 침전하는 것이 우량품인가?

16. 난황계수(=평면상 난황 높이/평면상 난황 지름)가 우량일 때와 불량일 때는 각각 얼마일 때인가?

17. 두부 응고제는?

18. 우유는?

19. 단무지 제조 시 사용할 수 없는 착색료는?

20. 마가린, 버터, 치즈에 보존료로 쓰이는 것은?

21. 돼지고기 유구낭충으로 가장 손쉽게 보존할 수 있는 방법은?

22. 과자류 식품에서 곤충이 나왔다면 어떤 과정에서 나오나요?

23. 버터의 산화방지제는?

24. 냉장고 보관에서 냉동실과 냉장실을 구분하여 설명하면?

25. 어류, 육류의 부패과정을 각각 쓴다면?

26. 대장균의 정성시험 3단계는?

27. 우유 저온 살균은?

28. 우유 고온 단기간 살균은?

29. 우유 초고온 순간 살균은?

30. 우유의 정상 비중은?

31. 통조림 검사방법은?

32. 어패류가 육류에 비해 부패하기 쉬운 이유들은?

33. 어패류가 육류에 비해 부패하기 쉬운 가장 큰 이유는?

34. 꿀벌에서 물엿이 첨가되었는지에 대한 검사는?

35. 우유 매개 감염병에는?

36. HACCP(식품위해요소 중점관리기준) 실시 7단계 중 2단계는?

37. 우유 품질 검사방법 중 물 첨가 여부 검사는?

38. 우유 품질 검사방법 중 지방함량 검사는?

39. 우유 품질 검사방법 중 대장균군 검사는?

40. 우유 품질 검사방법 중 세균 농도 추정 검사는?

41. GMO란?

42. 원재료 위생관리 단계는?

43. 제조가공관리 단계는?

44. 유통판매관리 단계는?

45. 소비자 섭취관리 단계는?

정답

1 스테인레스, 알루미늄, 테프론, FRP(=fiber reinforced plastics, 섬유 강화 플라스틱)

2 1.5m(=150cm)

3 15cm

4 2~4cm

5 50도

6 3.3m

7 30mesh

8 45~50도

9 0.5cm

10 천장 가까기 창문이 있는 것이 좋다.

11 간접조명

12 원료-세척실-제조가공실-포장실-창고

13 1.5m 미만

14 7cm

15 11%

16 0.3~0.4가 우량이고 0.3 이하는 불량

17 황산칼슘

18 10℃ 이하에서 보관

19 · tartrazine : 황색색소, 천식발작이 올 수 있음
· β-carotene : 섭취 시 비타민A로 변환되는 비타민A 전구체, 적색 결정성 물질, 단무지에는 쓰지 않음
· auramine : 유해한 형광 착색료, 방광염 일으킴, 그동안 단무지에 많이 썼으나 단무지에 오용된 것임

20 DHA(DeHydroacetic Acid)

21 가열

22 완제품

23 BHT(Butyl Hydroxy Toluene)

24 냉동실 육류 -18℃
냉장실 상 : 0~3℃ 어패류, 계란
중 : 5℃ 육류, 어패류
하 : 10℃ 야채류

25 사강자부(사후강직→강직해제→자기소화→부패)
중성(pH 7.3)→산성(pH 5.5~5.6)→알칼리성(pH 11)

26 ① 추정시험 → ② 확정시험 → ③ 완전시험

27 63~65℃에서 30분간 가열

28 71.1℃에서 15초간 가열

29 121℃에서 2초간 가열

30 15.6℃에서 1.028~1.034

31 외관 검사, 타검검사, 중량검사, 진공도검사, 가온검사

32 · 육질이 알칼리성에 가깝다.
· 근육구조가 복잡하고 조직이 탄력적이다.
· 부패 수중세균이 많다.
· 수분이 많다.
· 조직이 연하다.
· 천연면역소가 적다.
· 세균 부착의 기회가 많다.

33 수분이 많은 점

34 요오드 실험

35 결핵균, 대장균, 화농균, 장티푸스균, 브루셀라균, 디프테리아균

36 · 위해분석(HA, Hazard Analysis)
· 중요 관리 점 설정(CCP, Critical Control Point)
· 허용기준설정
· 모니터링방법의 설정
· 시정조치설정
· 검증방법설정
· 기록유지

37 비중 검사

38 Babcock test, Gerber test

39 Phosphatase test

40 Reductase test

41 유전자 재조합 식품(Genetically Modified Organism)

42 생산 → 수확 → 저장

43 제조→가공

44 유통수입 → 판매

45 조리→ 섭취

기구의 소독 및 살균

1. 식품 취급 시 살균등 위치는?

2. 살균력이 가장 강한 세균은?

3. 소독력의 지표가 되는 세균은?

정답

1. 50cm
2. 표면적이 가장 큰 구균임
3. 장티푸스균과 포도상구균

식중독 세균의 외부 형태

1. 살모넬라균의 모양은?
2. 장염비브리오균의 모양은?
3. 보툴리누스 식중독균의 모양은?
4. 웰치균 식중독균의 모양은?
5. 대장균의 모양은?
6. 포도상구균의 모양은?
7. 검은 조개 혹은 섭조개(=홍합)의 독소는?
8. 바지락의 독소는?
9. 복어독은?
10. 감자의 녹색부분의 독소는?
11. 썩은 감자의 독은?
12. penicillin 속 곰팡이는 무슨 곰팡이이고 무엇을 생산하며 어디에 많은가?
13. aspergillus 속 곰팡이는 무슨 곰팡이이고 어디에 많은가?
14. Rizopus 속 곰팡이는 무슨 곰팡이이고 어디에 많은가?
15. Mucur 속 곰팡이는 무슨 곰팡이라고 하는가?

16. 포도상구균 식중독의 증상과 잠복기는 무엇이고 무슨 질환을 일으키며 무슨 독소를 발생시키나?

17. 살모넬라 식중독의 특징은?

해설 주모성 편모를 갖는 주모성 단간균은 장티푸스균이 대표적이며, 장티푸스균은 살모넬라균의 일종이다. 또한 대장균 O157:H7도 다른 일반 대장균과는 달리 이 형태를 띤다.

정답

1 주모성 편모균
2 콤마형 간균 또는 단모성 편모균
3 간균, 아포형성, 주모성 편모균
4 간균, 무편모균
5 단간균
6 구균
7 Mytilotoxin=Saxitoxin
8 Venerupin
9 Tetrodotoxin
10 Solanine
11 Sepsine
12 푸른 곰팡이, 항생물질, 유지, 치즈
13 누룩 곰팡이, 간장, 된장, 양조 공업
14 거미줄 곰팡이, 빵, 곡류, 과일
15 털 곰팡이
16 · 급성위장염을 일으키고 잠복기가 3~8시간으로 가장 짧다.
· 화농성 질환
· Enterotoxin
17 발열

경구 감염 기생충

1. 회충은 어디에 기생하나?
2. 요충의 모양은 무엇이고 증상은?
3. 십이지장충(구충)의 증상은 무엇이고 어디에 감염되며 어디에 기생하나?
4. 편충은 다른 말로 무엇이며 어디 부위에 기생하며 증상은?
5. 간디스토마(간흡충)의 모양은?
6. 폐디스토마(폐흡충)의 모양은?
7. 왜소 조충은 흡반이 몇 개?
8. 유구 조충(갈고리촌충)은 무슨 고기에서 문제되나?
9. 무구 조충(민촌충)은 무슨 고기에서 문제되나?
10. 광절열두조충(긴촌충)의 모양은?
11. 돼지고기에서 선모충을 예방하기 위한 가장 좋은 방법은?
12. 개, 고양이의 분변으로부터 돼지, 닭에게 전염되는 기생충은?
13. 간디스토마(간흡충)의 중간숙주는?
14. 폐디스토마(폐흡충)의 중간숙주는?
15. 광절열두조충(긴촌충)의 중간숙주는?
16. 사상충증의 증상은?

정답

1 수정란, 소장에 기생

2 감 씨 모양, 어린이에게 신경질 유발

3 채독증, 경피 감염, 소장 상부 기생
4 선충, 회맹부위, 탈항증
5 오이 모양 또는 버들잎 모양
6 타원형
7 4개의 흡반
8 돼지고기
9 소고기
10 두절은 곤봉모양, 편절에 국화무늬
11 -20℃ 보관(냉동)
12 톡소플라즈마
13 제1중간 숙주 : 왜우렁 제2중간 숙주 : 잉어, 붕어 등 담수어(=민물고기)
14 제1중간 숙주 : 다슬기 제2중간 숙주 : 게, 가재 등, 산간 지방 분포
15 제1중간 숙주 : 물벼룩 제2중간 숙주 : 연어, 송어, 농어
16 임파관염, 음낭수종, 상피병

경구 감염병의 외부 형태

1. 어린이에게 설사를 일으키는 원충은?
2. Spore를 가지는 인축공통감염병은?

정답

1 대장아메바
2 탄저균

3. 위생곤충학

바퀴벌레

바퀴벌레의 특징은 가주 성이고, 잡식성이며, 야간 활동성이고, 군서성이며, 집합 페로몬을 분비한다는 것 등이다. 독일 바퀴는 전 흉배판에 두 줄의 흑색 종대가 있고, 집 바퀴는 등에 요철이 있으며, 제일 큰 바퀴는 이질 바퀴이다. 바퀴벌레는 불완전 변태로서 알→자충→성충의 단계로 자란다. 바퀴 벌레의 촉각은 '편상'이다.

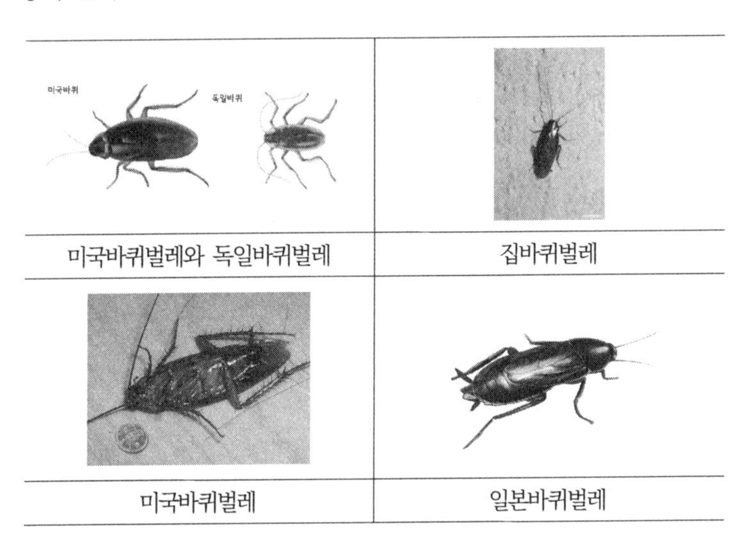

미국바퀴벌레와 독일바퀴벌레 | 집바퀴벌레

미국바퀴벌레 | 일본바퀴벌레

모기

모기는 근거리에서는 시각, 체온, 체습에 의해서 숙주를 감별하고, 중거리에서는 탄산가스에 의해서, 원거리에서는 체취에 의해서 숙주를 감별한다. 집모기는 유충에서 호흡관이 있고, 성충에서 주둥이 중간에 백색 띠가 있으며, 다리 각 절 끝에 백색 띠가 있다. 날개모기는 유충에서 장상 모가 있고, 성충에서 날개의 전 연맥에 백색 반점이 2개가 있다. 모기에 의한 사상 충 증은 '임파관염', '음낭 수종', '상피 병'을 일으킨다. 사상 충 증을 유발하는 곤충으로는 등에 모기, 토고 숲 모기 등이 있다.

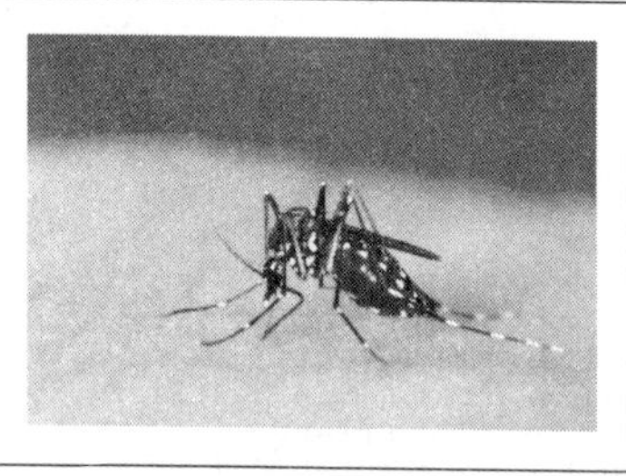	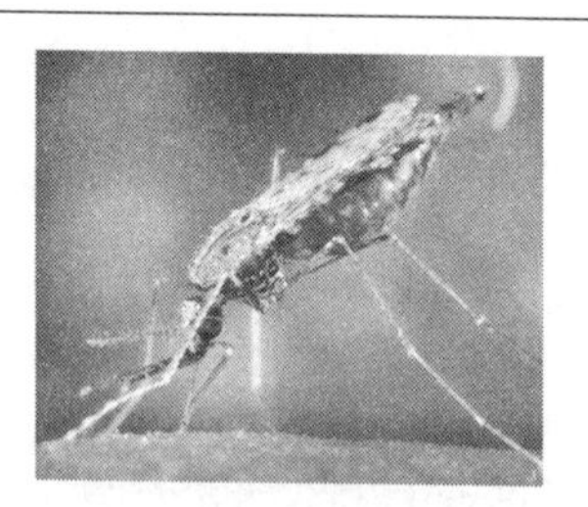
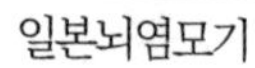 일본뇌염모기	말라리아모기

학질모기와 뇌염모기 비교

학질은 날개 모기에 의해, 뇌염은 집모기에 의해 매개된다. 알의 경우, 학질모기는 낱개이고, 방추형이며, 부낭에 의해 물에 뜨는데, 집모기는 난괴 형이며, 숲 모기는 낱개이고 물 밑으로 가라앉는다. 유충의 경우, 학질모기는 장상 모가 있고, 호흡관이 없는 반면에, 집모기 장상모는 없고, 호흡관은 있다; 번데기의 경우, 학질모기는 호흡 각이 짧고 굵은 반면, 집모기는 호흡 각이 길고 가늘다. 성충의 경우, 학질모기는 앉은 자세가 벽면과 45~90도이고, 집모기는 앉은 자세가 벽면과 수평이다. 학질모기 성충의 수컷은 곤봉 상 두부를 갖고 있다.

진드기

진드기에는 큰 진드기(tick)와 작은 진드기(mite)로 나누는데, 작은 진드기는 '좀 진드기 또는 '응애'라고도 불린다. 큰 진드기에는 후 기문 아목에 속하는 참 진드기와 공주 진드기가 있고, 작은 진드기에는 중 기문 아목에 속하는 가죽 진드기, 가시 진드기, 집 진드기 등이 있고, 전 기문 아목에 속하는 털 진드기, 여드름 진드기 등이 있으며, 무 기문 아목에 속하는 옴 진드기, 먼지 진드기 등이 있다.

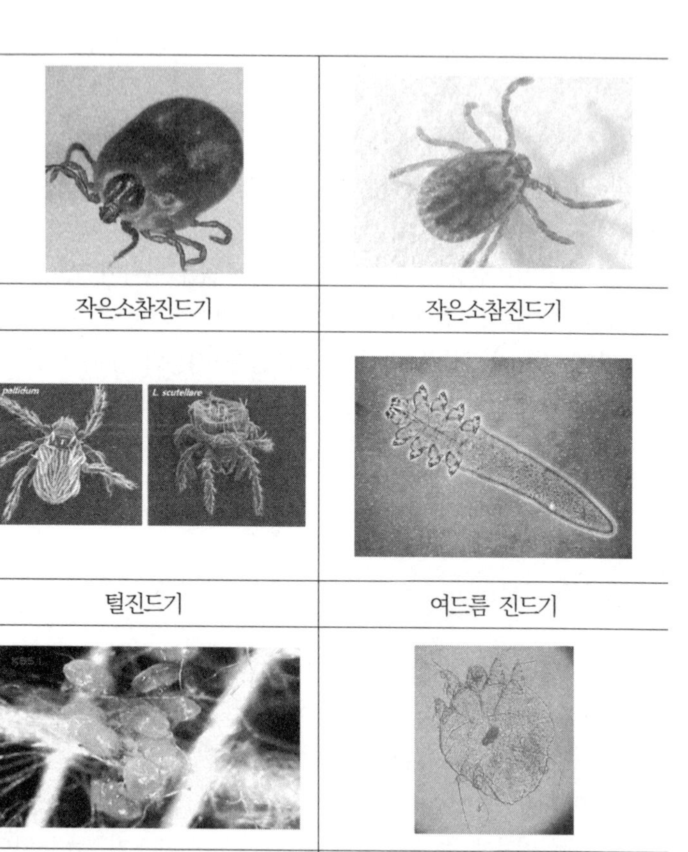

작은소참진드기	작은소참진드기
털진드기	여드름 진드기
집먼지진드기	옴진드기

파리

동물을 흡혈하는 파리는 '침파리'이고, 자충이 난 태생으로 유생 생식을 하는 파리는 '쉬파리'이며, 자궁에서 부화하는 파리는 '체체파리'이고, 아프리카 수면병을 유발하는 파리는 '체체파리'이다. 회선 사상충 증을 매개하는 파리는 '곱추파리'이고, 피부에 기생하여 '승저증'을 일으키는 파리는 '검정파리'이다. 파리 분포를 측정하는 기구로 '파리 격자(fly grill)'이 있다.

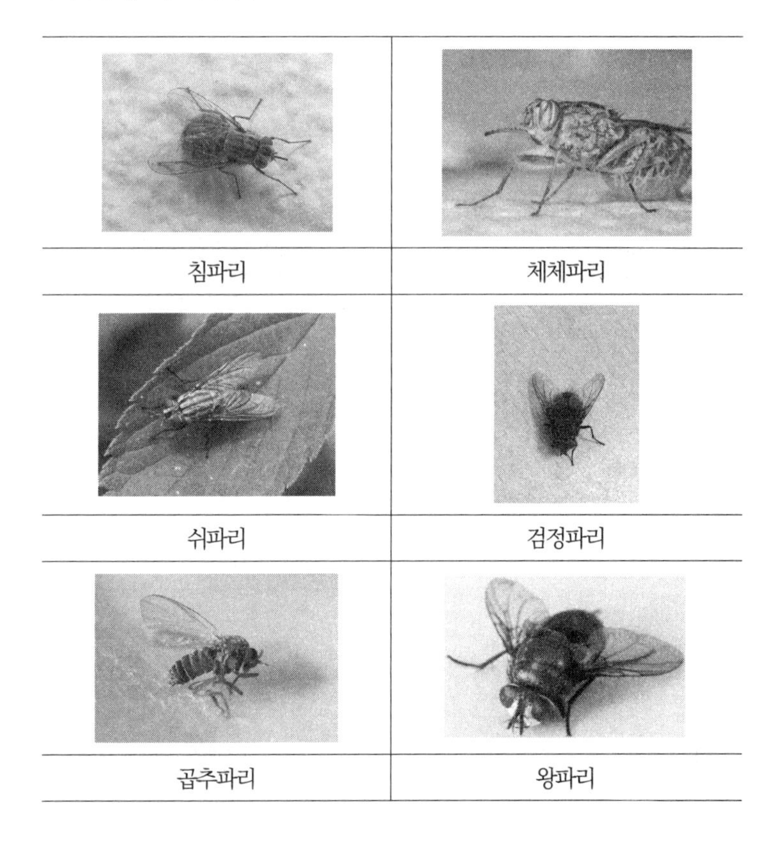

침파리	체체파리
쉬파리	검정파리
곱추파리	왕파리

노린재, 빈대, 독나방, 이, 깔따구

'아메리카 수면병'을 유발하는 위생 곤충은 '트리아토민 노린재'이고, 독모를 가지고 피부병을 유발하는 위생 곤충은 '독나방'이다. 빈대의 '베레제 기관'은 정자를 일시 저장하는 장소로서, 제 4복판에 홈이 있는 곳이며, 제 9복판에 진동과 촉수 감각 기관이 있는 곤충도 빈대이다. 태어나면서 먹이를 섭치하지 않고 사는 날 동안 '깔딱' '깔딱' 수명이 제한되어 있는 위생 곤충으로서 '뉴슨스'의 대표적인 것이 '깔따구'이다. 사면 발이는 '게'처럼 생겼다고 해서 '게이'라고도 하고, 음부 털에 기생한다.

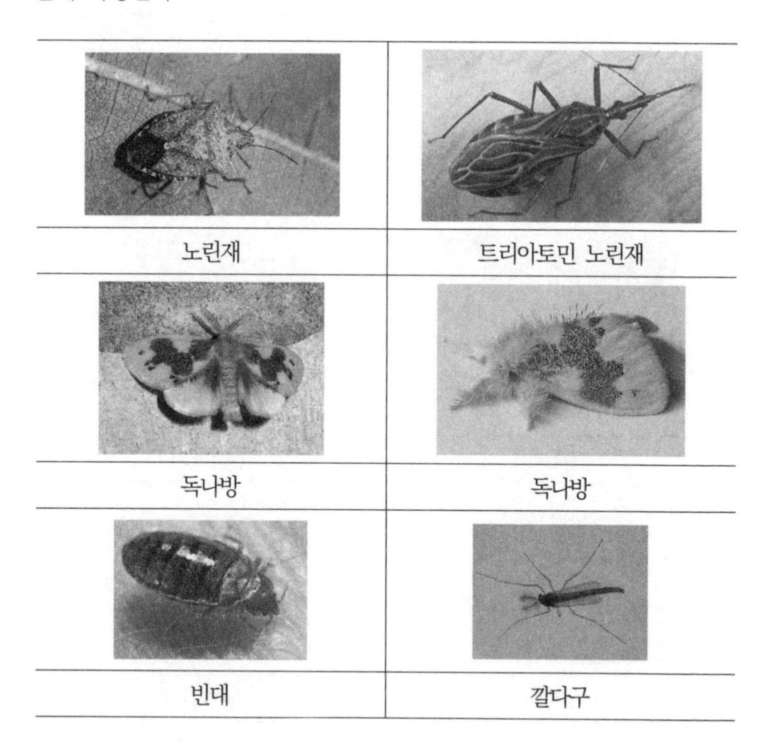

노린재 / 트리아토민 노린재

독나방 / 독나방

빈대 / 깔다구

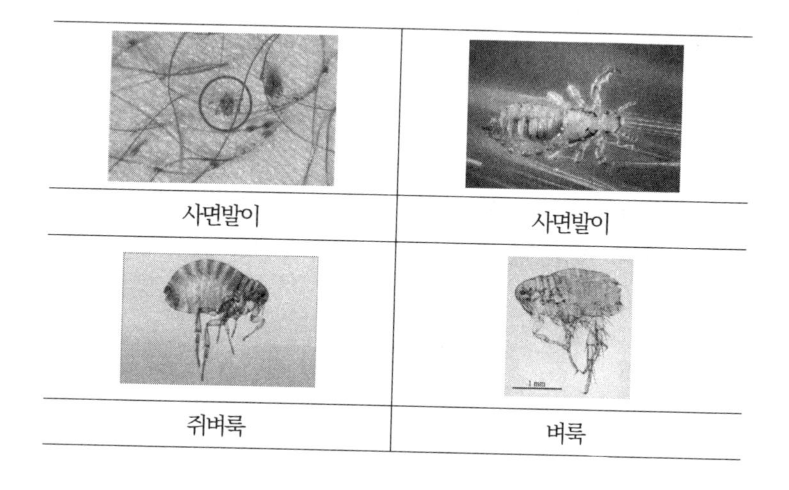

사면발이 | 사면발이

쥐벼룩 | 벼룩

위생 곤충의 구제

가열 연막은 45도 하향 고정하고, 극미량 연무는 45도 상향 고정하여 분무한다.

선박에서 위생 곤충 구제를 위해 사용하는 소독약에는 시안산(HCN), 인(PH_3), 메틸 브로마이드(methyl bromide, CH_3Br) 등이 있는데, 이들은 대표적인 훈증 제 들이다. 에틸렌 옥사이드(ethylene oxide, EO gas)는 곡물 해충 구제용이고, 메틸 브로마이드는 가구, 목재 등의 해충 구제용이다.

잔류분무의 면적당 용량은 40cc/m^2이고, 모기와 파리를 구제하기 위한 에어로졸의 크기는 10~20u이다.

쥐

지붕 쥐는 두동장보다 미장이 길고, 똥이 뭉툭하며, 도시 건물이나 고층 건물에 서식한다. '서울 쥐'라고 할 수 있다. 시궁쥐는 두동장보다 미장이 짧고, 똥이 뾰족하며, 하수구나 쓰레기장에 서식한다. '시골 쥐'라고 할 수 있다. 쥐 서식처나, 새 둥지 주변의 조사 시에 사용하는 기구가 '베레스 원추 통'이다.

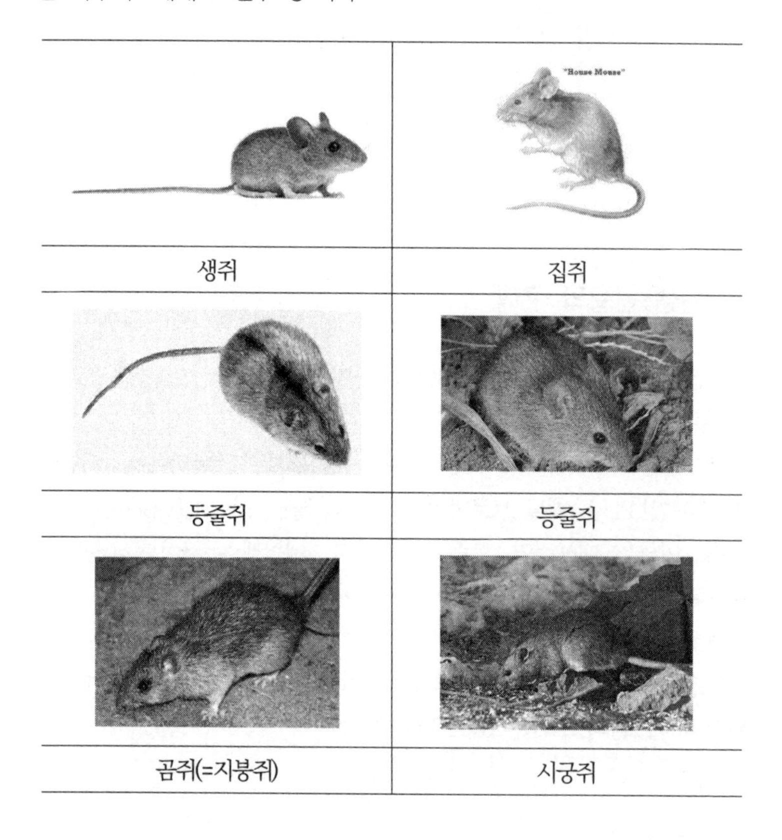

생쥐 / 집쥐

등줄쥐 / 등줄쥐

곰쥐(=지붕쥐) / 시궁쥐

위생 곤충의 생태 및 구조

1. 바퀴벌레의 특징은?
2. 독일 바퀴의 특징은?
3. 모기가 동물이나 사람에 접근하는 방법을 거리별로 쓴다면?
4. 집모기의 특징은?
5. 날개모기의 특징은?

정답

1 가주성, 잡식성, 야간활동성, 군서성, 집합페로몬

2 전흉배판에 두 줄의 흑색 종대

3 · 근거리 : 시가, 체온, 체습
· 중거리 : 탄산가스
· 원거리 : 체취

4 호흡관 있다. 주둥이 중간에 백색 띠, 다리 각정 끝에 백색띠

5 장상모 있다. 날개 전연맥에 백색반점 2개, 전맥에 백색반점 2개

학질모기(날개모기)와 뇌염모기(집모기) 비교

1. 알을 비교하면?
2. 유충을 비교하면?
3. 번데기를 비교하면?
4. 성충을 비교하면?

5. 학질모기 성충의 수컷은?

6. 사면발이는?

7. 큰진드기 = tick의 분류와 종류는?

8. 좀진드기 = mite = 응애의 분류와 종류는?

9. 동물 흡혈하는 파리는?

10. 자충이 난태생으로 유생생식하는 파리는?

11. 자궁에서 부화하는 파리는?

12. 아프리카 수면병을 유발하는 파리는?

13. 아메리카 수면병을 유발하는 곤충은?

14. 바퀴벌레의 촉각은?

15. 빈대의 베레제 기관은?

16. 독모를 가지고 피부병을 유발하는 것은?

17. 사상충증을 일으키는 위생곤충은?

18. 회선사상충증을 일으키는 위생곤충은?

19. 먹이를 섭치하지 않는 곤충은?

20. 제 9복판에 미절과 파악기가 있는 곤충은?

21. 피부에 기생하여 승저증을 일으키는 파리는?

정답

1 · 학질모기 : 날개, 방추형, 부낭(물에 뜸)
· 집모기 : 난괴
· 숲모기 : 낱개 물 밑으로 가라 앉는다.

2 · 학질모기 : 장상모 있다, 호흡관 없다.
· 집모기 : 호흡관 있다, 장상모 없다.

3 · 학질모기 : 호흡각이 짧고 굵다.
· 집모기 : 호흡각이 길고 가늘다.

4 · 학질모기 : 앉은 자세 벽면과 45~90도
· 집모기 : 앉은 자세 벽면과 수평

5 곤봉상 두부

6 게이, 음부털에 기생함

7 후기문 아목 : 참진드기, 공주진드기

8 · 중기문 아목 : 가죽 진드기, 가시 진드기, 집진드기
· 전기문 아목 : 털진드기, 여드름 진드기
· 무기문 아목 : 옴진드기, 먼지진드기

9 침파리

10 쉬파리

11 체체파리

12 체체파리

13 트리아토민 노린재

14 편상

15 · 정자를 일시 저장하는 장소
· 제4 복판에 홈이 있는 곳임

16 독나방

17 등에모기, 토고숲모기

18 곱추파리

19 깔따구

20 벼룩

21 검정파리

위생 곤충의 구제 방법 및 쥐의 생태

1. 쥐, 새둥지 주변의 조사 시에 사용하는 기구는?
2. 파리 분포를 측정하는 기구는?
3. 가열 연막의 방향은?
4. 극미량 연무의 방향은?
5. 선박소독에 사용되는 약품들은?
6. 잔류분무면적은?
7. 에어로졸에서 모기 파리 구제용은?
8. 지붕쥐의 특징은?
9. 시궁쥐의 특징은?

정답

1 베레스 원추통
2 파리 격자(Fly grill)
3 45도 하향 고정
4 45도 상향 고정
5 · 시안산(HCN), 인(PH_3), methyl bromide(CH_3BR) : 대표적인 훈증제
· ethylene oxide : 곡물해충 구제용
· methyl bromide : 가구, 목재 해충 구제용
6 $40cc/m^2$
7 $10\sim20\mu$
8 동장보다 미장이 길다. 똥이 뭉툭, 도시건물, 고층건물에 서식, 서울쥐
9 두동장보다 미장이 짧다. 똥이 뾰족, 하수구 쓰레기장에 서식, 시골쥐

위생법령 관련 핵심정리도표

감염병과 하수도 관련 국가 계획

주 체	계 획 내 용	주 기	조치	비 고
보건복지부장관	감염병 예방 및 관리에 관한 기본계획	5년마다	수립	
환경부장관	국가하수도 종합계획	10년 단위	수립	
환경부장관	국가하수도 종합계획 타당성검토	5년 단위	검토	
특별시장, 광역시장, 시장군수	하수도정비 기본계획	20년 단위	수립	
특별시장, 광역시장, 시장군수	하수도정비 기본계획 타당성여부 검토	5년마다	검토	
환경부장관	국가하수도정비 기본계획에 따른 공공하수도 설치	수시	요청	지방자치 단체장에게

폐기물 관련 국가 계획

주 체	계 획 내 용	주 기	조 치	비 고
시도지사	폐기물처리 기본계획	10년마다	승인	환경부장관으로부터
환경부장관	시도지사의 승인 요청에 대해	수시	협의	중앙행정기관의 장과
시군구청장	폐기물처리 기본계획	10년마다	제출	시도지사에게
환경부장관	폐기물처리 종합계획	10년마다	수립	
환경부장관	폐기물처리 종합계획 타당성검토	5년마다	검토	
시도지사	폐기물처리 종합계획	수시	승인	환경부장관으로부터

감염병 및 식중독 관련 보고, 신고, 통보

주 체	대 상	내 용	조 치	비 고
의료기관 소속인 의사나 한의사	소속 기관의 장에게	감염병 발생을	보고	
의료기관소속이 아닌 의사나 한의사	관할 보건소장에게	감염병 발생을	신고	
의료기관장	관할 보건소장에게	1-4군감염병	신고	지체 없이
의료기관장	관할 보건소장에게	5군감염병이나 지정감염병	신고	7일 이내
군의관	소속 부대장에게	감염병 발생을	보고	
소속부대장	관할 보건소장에게	감염병 발생을	신고	지체 없이
보건소장	특별자치도지사나 시군구청장에게	감염병 발생을	보고	
보건소장	보건복지부 장관이나 시도지사에게	감염병 발생을	보고	
특별자치도지사, 시장,구청장,읍면장	질병관리본부장에게	인수공통 감염병 발생을	통보	
의사,한의사, 집단급식소설치업자	보건소장이나 보건 지소 장에게	식중독을	보고	대통령령으로

공공 하수도 관련 인가 및 고시

주 체	대 상	내 용	조 치	비 고
시군구청장	시도지사로부터	공공하수도설치를	인가	
시군구청장	시도지사로부터	인가사항의 변경 및 폐지를	인가	
시군구청장	시도지사로부터	공공하수도 처리시설설치를	인가	
시도지사	환경부장관으로부터	공공하수도 설치를	인가	
환경부장관, 시도지사	-	인가내용을	고시	대통령령으로

식품 관련 면허, 인가, 신고 및 허가

주 체	대 상	조치	근 거	비고
조리사	특별자치도지사, 시군구청장으로부터	면허	보건복지부령	
영양사	보건복지부장관으로부터	면허	보건복지부령	
위생사	보건복지부장관으로부터	면허	대통령령	
동업자조합	보건복지부장관으로부터	설립 인가	대통령령	
집단급식소	특별자치도지사, 시군구청장에게	신고	보건복지부령	
식품관련영업자	식의약처장, 특별자치도지사, 시군구청장	허가	대통령령	

폐기물 관련 확인 및 신고

주 체	대 상	조 치	근 거	비 고
지정폐기물 배출사업자	환경부장관에게	확인	환경부령	폐기물처리계획서 폐기물분석평가서 폐기물수탁확인서
폐기물수출,수입업자	환경부장관에게	신고	환경부령	
권리의무승계자	환경부장관 또는 시도지사에게	신고	환경부령	

샘물, 수 처리제, 정수기 관련 허가, 등록 및 신고

주 체	대 상	조 치	근 거	비 고
샘물개발업자	시도지사로부터	허가	환경부령	
먹는샘물제조업자	시도지사로부터	허가	환경부령	
수처리제제조업자	시도지사에게	등록	환경부령	
먹는샘물수입판매업자	시도지사에게	등록	환경부령	
먹는샘물유통전문판매업자	시도지사에게	신고	환경부령	
정수기제조업자	시도지사에게	신고	환경부령	
정수기수입판매업자	시도지사에게	신고	환경부령	
허가사항의 변경자	시도지사에게	신고	환경부령	
영업자의 지위 승계자	시도지사에게	신고	환경부령	
먹는샘물 등, 수처리제, 그 용기 등의 수입업자	시도지사에게	신고	환경부령	

위생 관련 보관 기간

주 체	내 용	보관기간	비 고
폐기물처리업자 등	폐기물 배출, 발생, 처리 상황 기록	3년 동안 보존	
공공하수 처리시설, 분뇨 처리 시설 운영관리자	방류수 수질검사 및 찌꺼기 성분 검사기록	5년 보존	
자가 품질 검사 기관에서	자가 품질 검사에 대한 기록서	2년간 보관	
검사기관	시험기록서	3년간 보관	
검사기관에서	부적합결과가 나온 시험재료의 일부	60일 보관	
검사기관에서	기존 규격이외의 항목 검사 경우	30일 보관	
집단급식업소에서	제공한 식재료의 매회 1회분	144시간 이상 보관	
보건소장	감염병환자의 명부를 작성	3년간 보관	
보건소장	예방접종 이상반응자 명부	10년간 보관	
환경부장관	사업장폐기물 사업자의 전산기록	3년 동안 보존	

위생 관련 교육 기간

업 체	주 체	기 간	비 고
집단급식소	영양사, 조리사	2년 마다	
식품위생검사기관	대표자	매년 4시간	
식품위생검사기관	검사원	매년 21시간	
식품접객업영업자	종업원	매년	

위생사

업 체	주 체	기 간	비 고
보건복지부장관	위생사면허취소	청문	
보건복지부장관	위생사국가시험기관	위탁	
보건복지부장관	위생사면허대장	등록	
보건복지부장관	위생사면허증	교부	

위생 법령 각종 직책

주 체	장소 또는 지정자	비 고
식품위생감시원	식의약처, 광역시도, 특별자치도, 시군구	대통령령
소비자식품위생감시원	식의약처장 또는 시도지사, 시군구청장	
식품위생감사인	식의약처장 또는 시도지사	지정
방역 관	보건복지부, 시도에	
역학조사관	보건복지부, 시도에	
검역위원	시도지사	지정
예방위원	특별자치도, 시군구의 인구가 2만 명 당 1명꼴로 유급위원	

위생 법령 관련 기간

주 체	내용	기간	비 고
보건복지부장관	보상청구에 대해	120일 이내에 결정해야 함	
보건복지부장관	위생사 국가시험	매년 1회 이상	
환경부장관	생활 폐기물 대행 실적 평가	매년 1회 이상 평가	
공공하수도 관리청	공공하수도점검	5년마다	

위생 법령 관련 기간

주 체	내 용	기 간	비 고
과태료 처분에 불복이 있는 자	보건복지부장관에게 이의 제기	30일 이내에	
식품의약품안전처장 또는 특별자치도지사·시장·수·구청장	식품 품목제조 정지처분	6개월 이내	
위생사가 아닌 자	위생사 사칭	과태료 100만 원 이하	
환경부장관	폐기물업자 등에게 영업정지 갈음	1억 원 이하 과징금	

위생곤충 관련 그림들

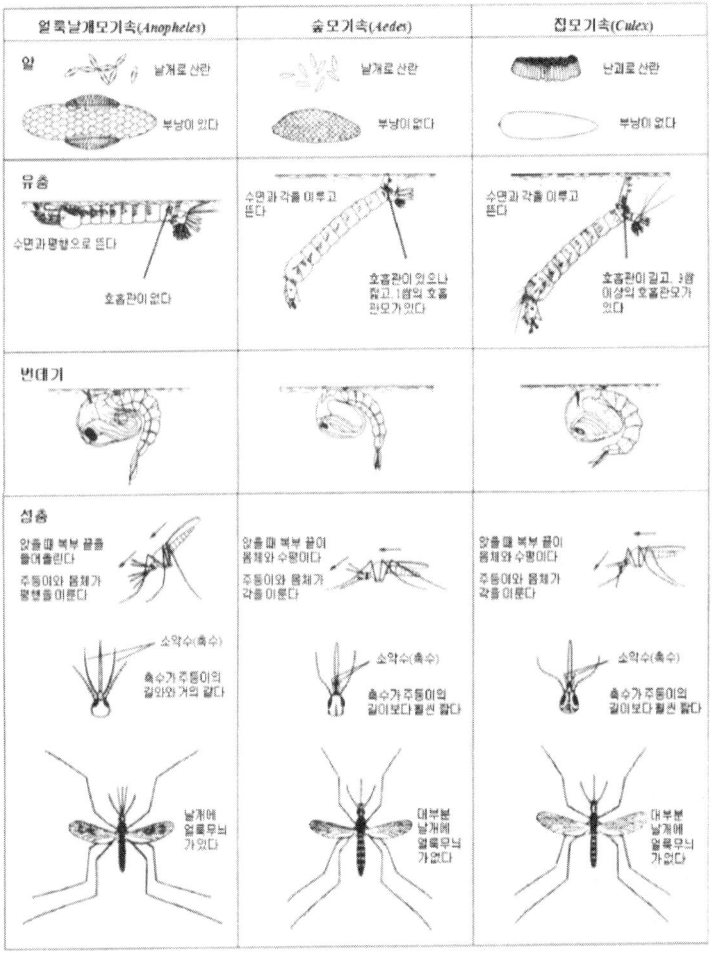

	얼룩날개모기속(*Anopheles*)	숲모기속(*Aedes*)	집모기속(*Culex*)
알	낱개로 산란 부낭이 있다	낱개로 산란 부낭이 없다	난괴로 산란 부낭이 없다
유충	수면과 평행으로 뜬다 호흡관이 없다	수면과 각을 이루고 뜬다 호흡관이 있으나 짧고, 1쌍의 호흡관모가 있다	수면과 각을 이루고 뜬다 호흡관이 길고, 3쌍 이상의 호흡관모가 있다
번데기			
성충	앉을 때 복부 끝을 들어올린다 주둥이와 몸체가 평행을 이룬다 소악수(촉수) 촉수가 주둥이의 길이와 거의 같다 날개에 얼룩무늬가 있다	앉을 때 복부 끝이 몸체와 수평이다 주둥이와 몸체가 각을 이룬다 소악수(촉수) 촉수가 주둥이의 길이보다 훨씬 짧다 대부분 날개에 얼룩무늬가 없다	앉을 때 복부 끝이 몸체와 수평이다 주둥이와 몸체가 각을 이룬다 소악수(촉수) 촉수가 주둥이의 길이보다 훨씬 짧다 대부분 날개에 얼룩무늬가 없다

* 숲모기와 집모기는 보통모기아과(*culicinae*)에 속함

주요 모기의 형태적 특징 비교(출처 : WHO)

모기의 생활

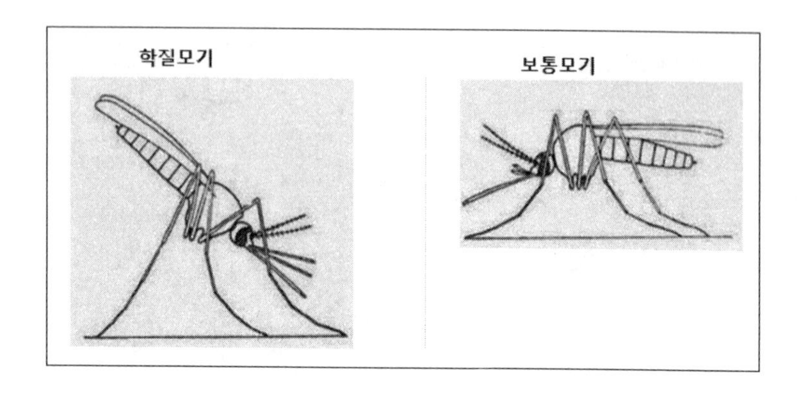

학질모기
보통모기

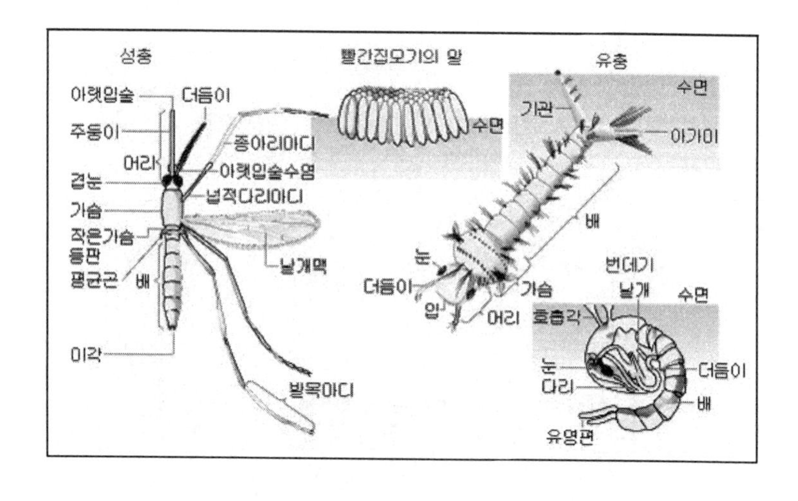

성충
아랫입술
더듬이
주둥이
머리
겹눈
가슴
작은가슴
등판
평균곤
배
미각
종아리마디
아랫입술수염
넓적다리마디
날개맥
발목마디
빨간집모기의 알
수면
유충
기관
수면
아가미
배
눈
더듬이
입
가슴
머리
번데기
날개
수면
호흡각
눈
다리
더듬이
배
유영편

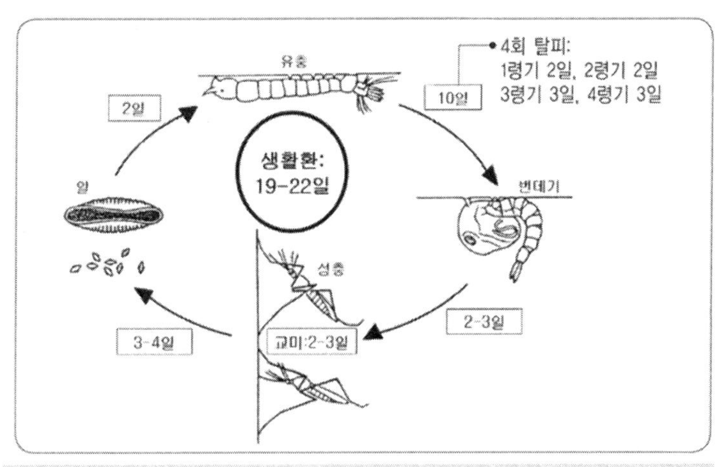

» 모기의 생활사. 그림=질병관리본부

모기의 형태

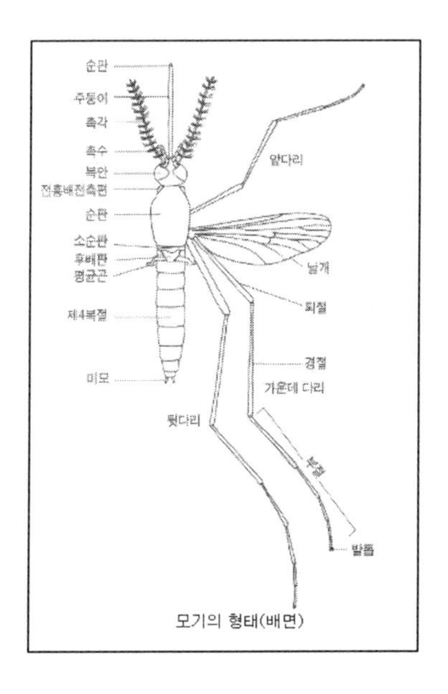

모기의 형태(배면)

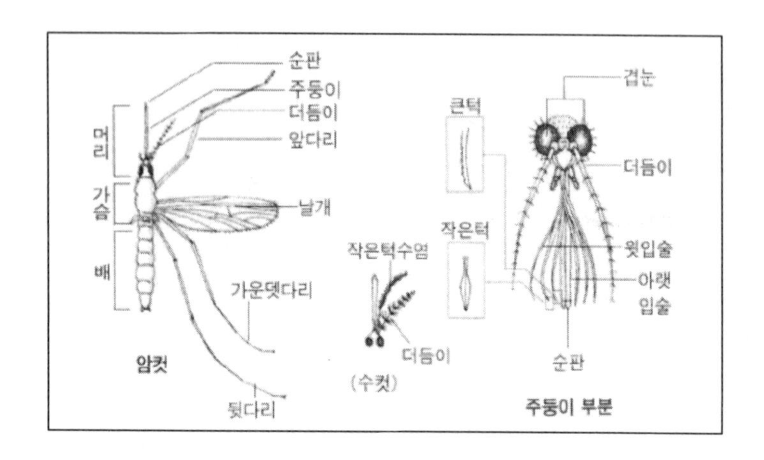

모기의 종류

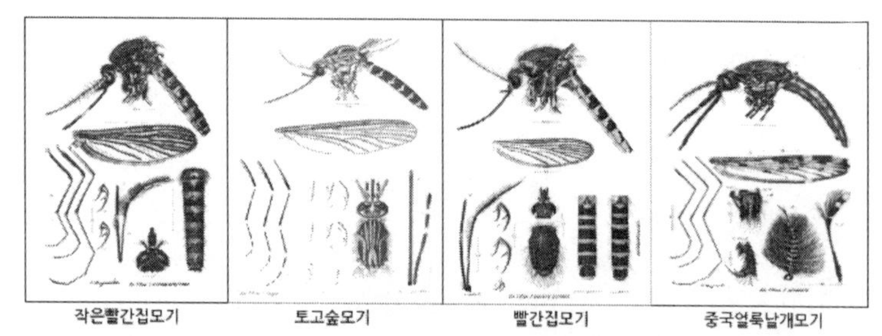

작은빨간집모기 토고숲모기 빨간집모기 중국얼룩날개모기

자료 출처 - 질병관리본부 '곤충매개질환및곤충매개체'

『 한국 서식 주요 질병 전파 모기 』

모기종명	분류(과)	전파 전염병	특징
작은빨간집모기		일본뇌염바이러스	소형 암갈색
토고숲모기	보통모기아과	말레이사상충증	중형 흑갈색
빨간집모기 & 지하집모기		흡혈 웨스트나일 바이러스	소형 암갈색
중국얼룩날개모기	학질모기아과	말라리아 내륙성 브르기아 사상충증	중형 흑색

자료 출처 - 질병관리본부 '곤충매개질환및곤충매개체'

작은소참진드기의 형태

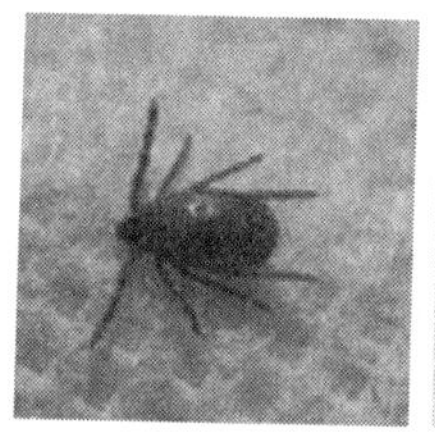

흡혈 전

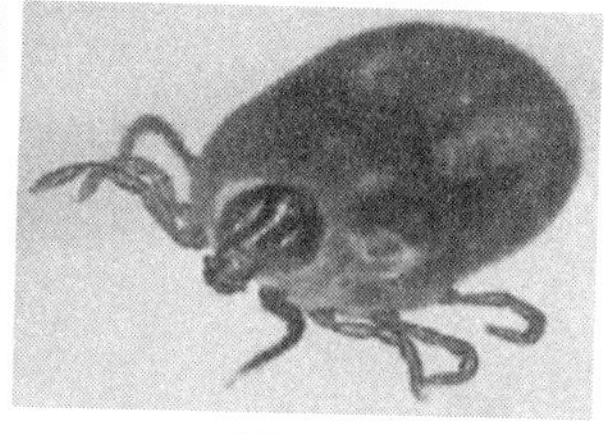

흡혈 후

〈이미지 출처 : 질병관리본부〉

작은소참진드기의 종류

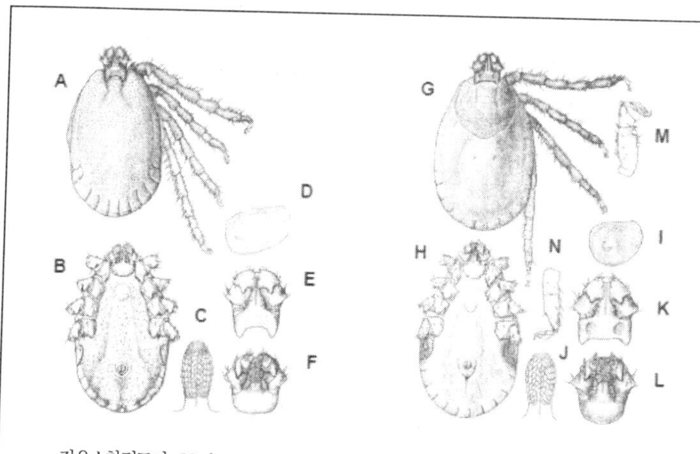

작은소참진드기 *H. longicomis.* ♀: A. 배면, B. 복면 C. 구하체, D. 기문관, E, 턱부, 배면, F. 턱부, 복면, ♂: G. 배면, H. 복면, I. 기문관, J. 구하체, K. 턱부, 배면, L. 턱부, 복면, M. 제1각 부절, N. 제4각 부절

바퀴벌레의 종류

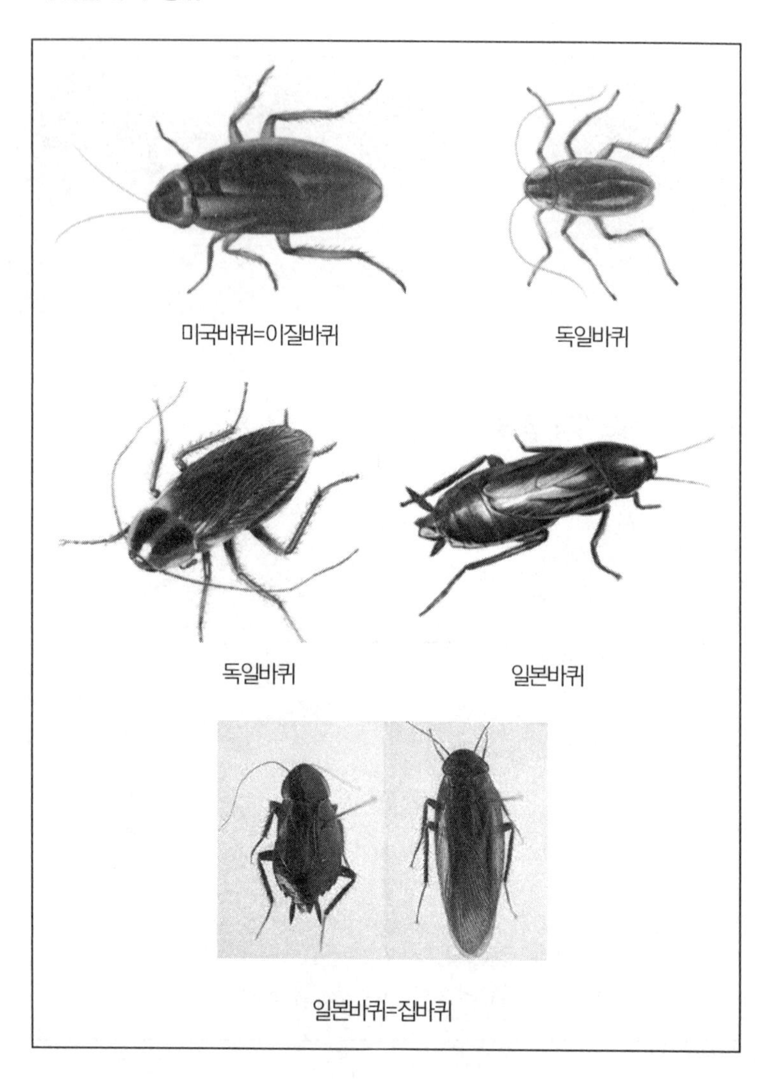

바퀴벌레의 형태

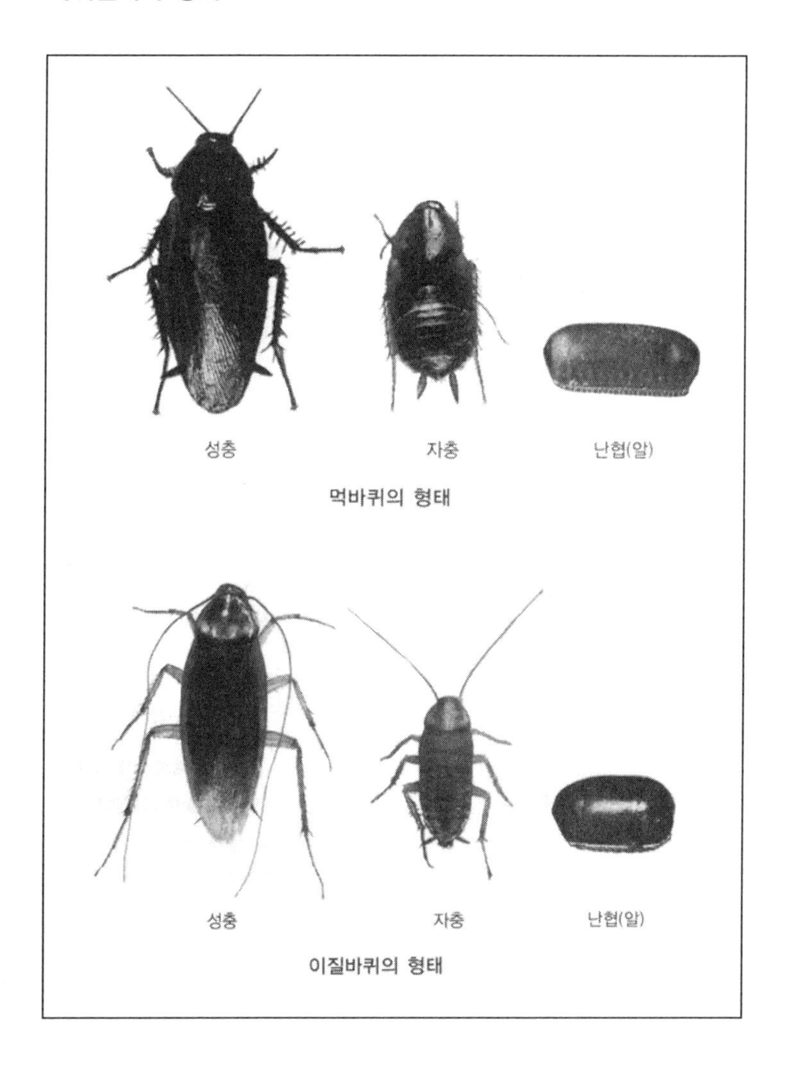

먹바퀴의 형태

이질바퀴의 형태

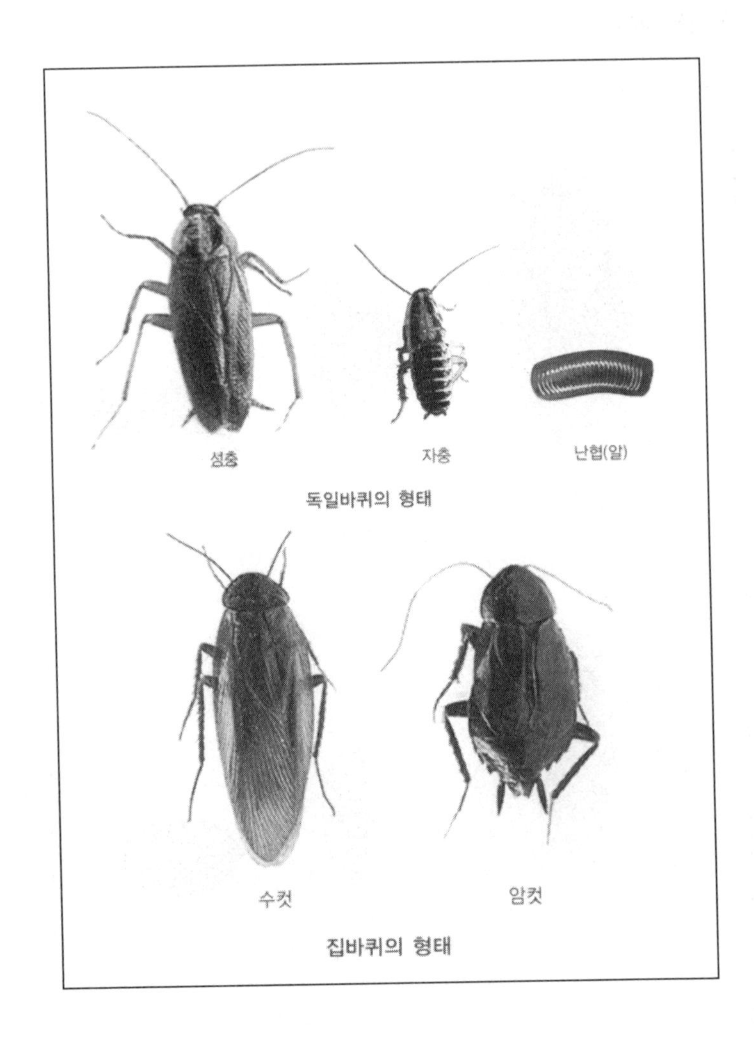
성충
자충
난협(알)
독일바퀴의 형태
수컷
암컷
집바퀴의 형태

파리의 종류

이의 종류

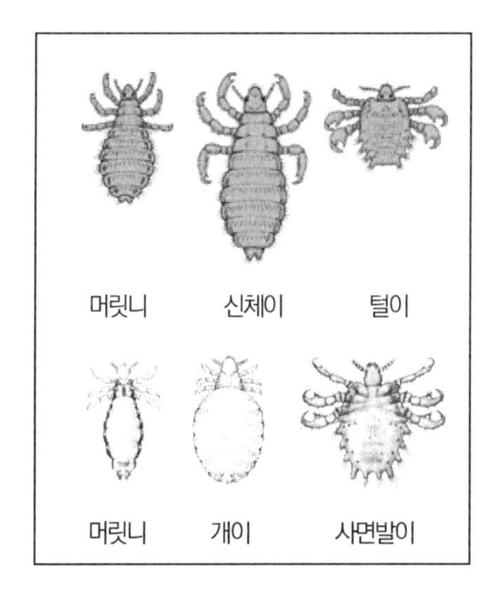

위생곤충의 종류

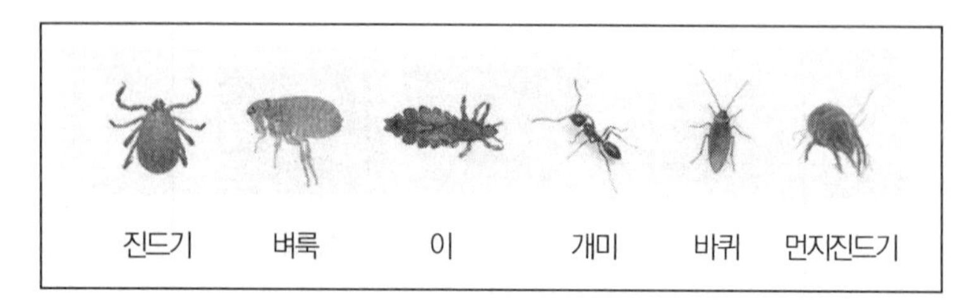

벼룩의 종류

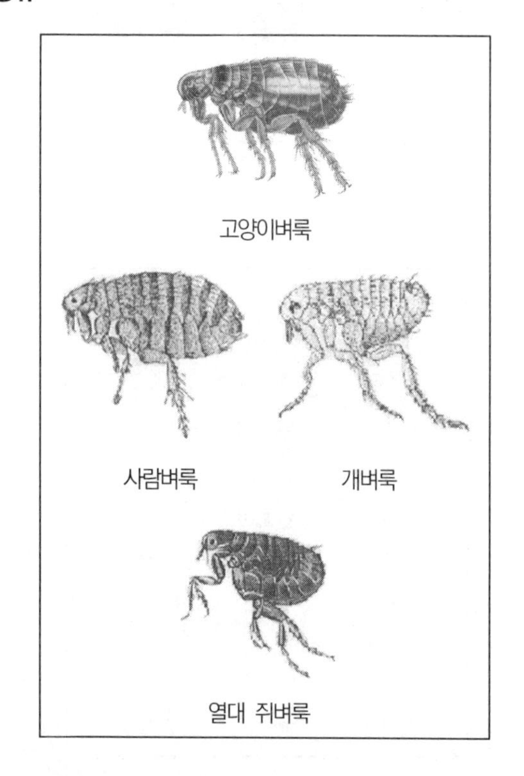

빈대

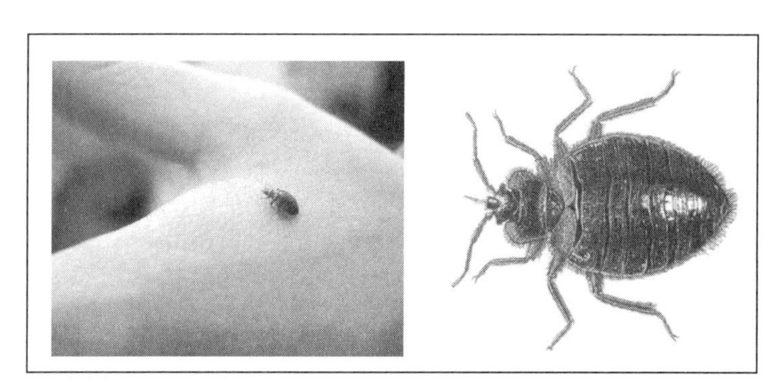

사면발이

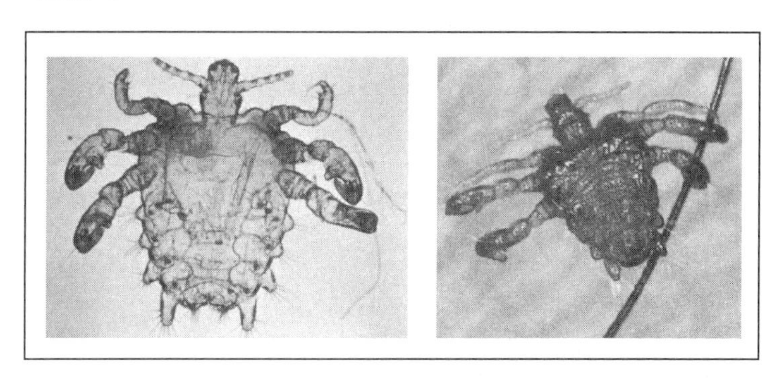

깔따구의 형태

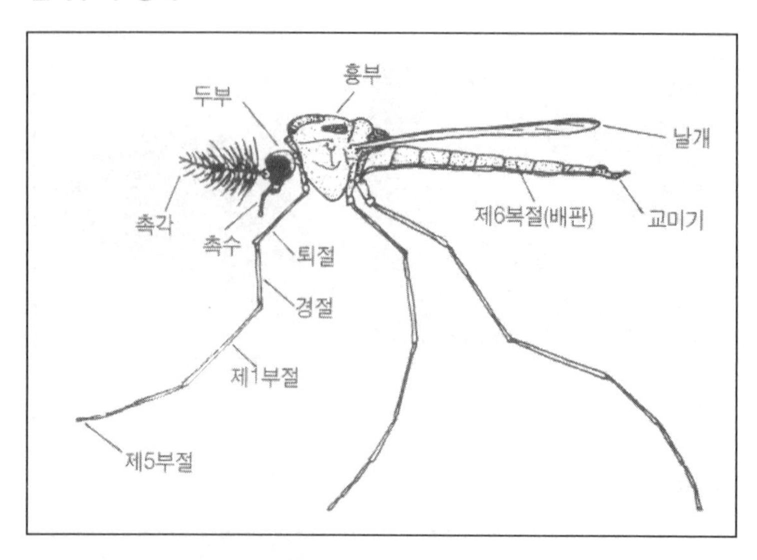

깔따구

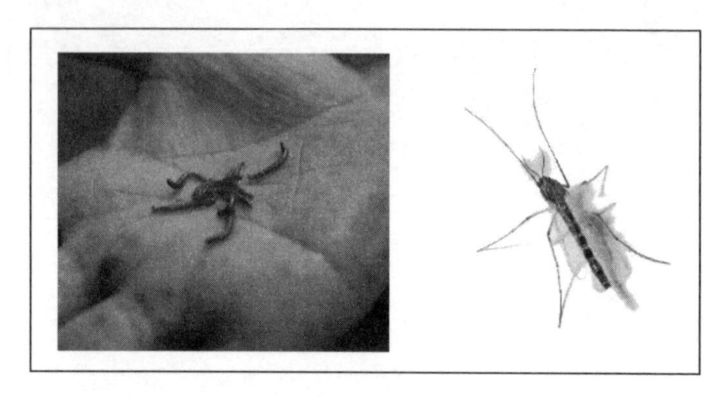

곱추파리

체체파리

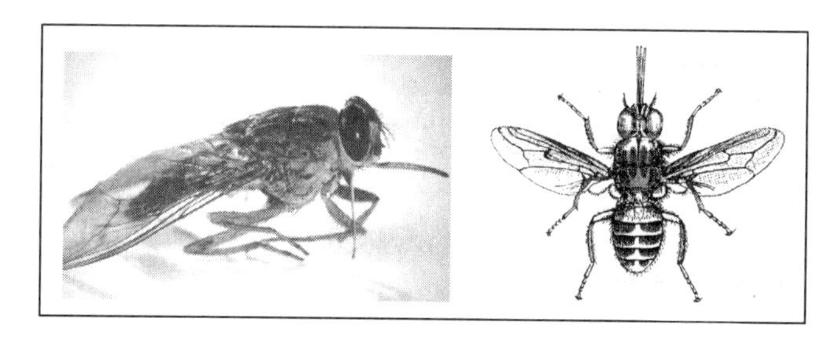

금파리, 쉬파리

트리아토민 노린재

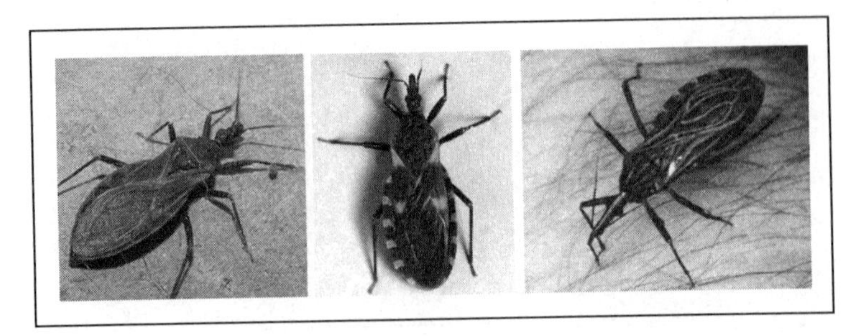

쥐의 종류

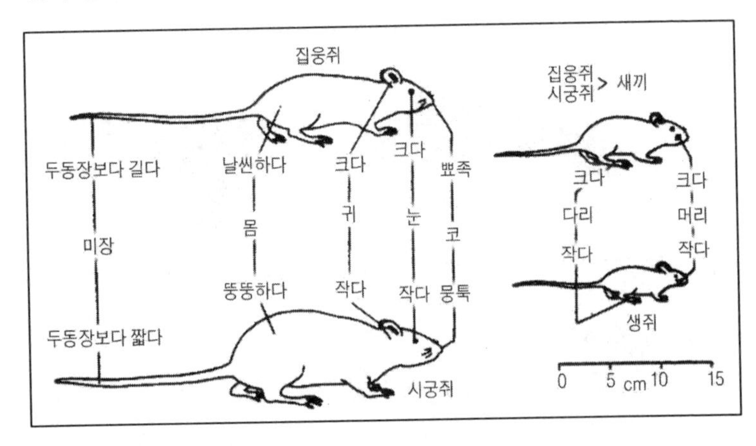

쥐의 배설물 종류

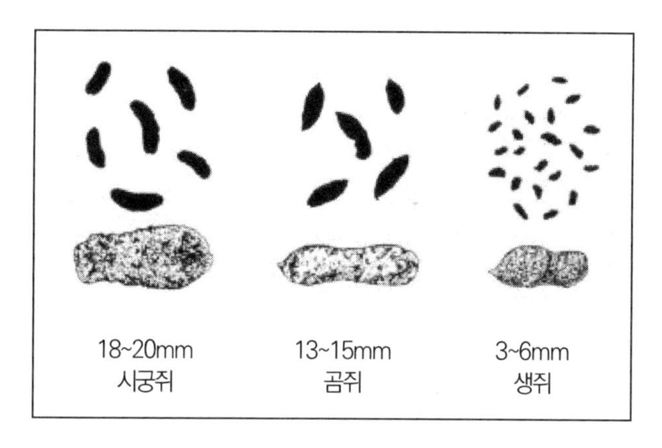

저자 함 희 진

[약력]
서울대학교 수의과대학 수의학과 (수의학사)
서울대학교 수의과대학 수의병리학전공 (수의학석사)
강원대학교 수의과대학 임상수의학전공 (수의학박사)
농림수산부 장관 수의사 면허증 취득
보건복지부 장관 위생사 면허증 취득
(전) 한국산업 인력공단 기사 및 산업기사 출제위원
(현) 고려아카데미 컨설팅 출제위원 및 강평위원
(전) 서울특별시 보건환경연구원 (보건연구직)
(전) 한국식품위생안전성학회 (이사)
(전) 신구대학교 식품영양과 (시간강사)
(전) 배화여자대학교 위생사 특강 (강사)
(전) 동남보건대학교 위생사 특강 (강사)
(전) 경인여자대학교 위생사 특강 (강사)
(전) 안양대학교 교양대학 자연과학분야 주임교수
(전) 대진대학교 위생사 특강 (강사)
(현) 안양대학교 교양대학 자연과학분야 조교수
(현) 한국동물매개심리치료학회 상임이사
(현) 경기도 교육청 경기꿈의대학 강사

[저서]
꾸벅 [위생사 핵심요약집] 2007
꾸벅 [핵심 위생사요약집] 2008, 2010
지구문화사 [위생사 특강] 2011
정일 [패스원 위생사정리] 2011
보성과학 [세균검사 실습교재] 2007, 2015
정일 [쪽집게 위생사 핸드북] 2017
정일 [위생사 핵심정리] 2019
정일 [위생사 실기+필기] 2019

제2판
위생사 핵심정리

초판 1쇄 발행 2019년 6월 30일
제2판 1쇄 발행 2021년 8월 30일

저 자 함 희 진
펴낸이 이 병 덕
펴낸곳 도서출판 정일

등록날짜 1989년 8월 25일
등록번호 제 3-261호
주소 경기 파주시 한빛로 11

전화 031) 946-9152(대)
팩스 031) 946-9153

책값은 뒤표지에 있습니다.